A Tale of Thousand Stars

アテイル オブ サウザンド スターズ

―― ドラマ場面集 ――

994

A Tale of Thousand Stars

アテイル オブ
サウザンド スターズ

下

著：Bacteria
訳：イーブン美奈子

目次

10　痛み

元陸軍副司令官の末の息子、ティアン・ソーパーディッサクンが、このアカ族の集落に暮らすボランティア教師となって、もうすぐ二カ月になる。日々は平穏に過ぎ去っていった。彼が子どもたちに教える簡単な算数の知識は、教育の機会に恵まれなかった親たちにも伝わり、満足できる成果を挙げていた。

農園の人々は秤の目盛に異常がないか確認するようになり、仲買人に搾取されることも減った。他にも何だかんだといちゃもんを付けられたり経費を差し引かれたりはするのだが、それでも全体としては、ずいぶん良い暮らしができるようになった。

ティアンの方も、今では不便な生活に慣れ、それがすっかり日常となってしまっている。グラウンドを走る代わりに山を登って学校へ行き、高級レストランで食事をする代わりに自分で簡単なものが作れるようにもなった。さらに、寝る前にはパブで音楽を聴くのではなく、虫の音を子守唄にして眠っている。

身体にある新しい臓器の拒絶反応も、日を追って減ってきている。心臓が震えることも少なくなった。ただ、あの鬼の体躯の軍人が近くにいると別なのだが、それはティアンにはどうしようもない。持参してきた免疫抑制剤は、年明けにちょうど切れそうだ。が、もしバンコクの病院になど行ったら、母の網に確実にかかるし、そうなったらここに戻ってこられる望みはない。

ティアンはペンで机をこつこつ叩く。今日は生徒たちを家に帰した後、天気が良かったので夕方まで一人で宿題の採点をした。彼は長いため息をつき、ぼんやりと外の景色を眺めて目を休ませる。

……残りあと一カ月強か。

腕を伸ばしてストレッチをし、肩の凝りをほぐす。それから立ち上がり、外の涼風を浴びて歩いた。もう十一月の終わりだ。山の気温はさらに下がっていて、ティアンはいつも家鴨《あひる》の羽毛入りダウンジャケットを羽織っている。空を見上げると、日が沈みかけていた。見慣れた小型飛行機が二機、並んで向こう側へ飛行していく。カマーのビアンレーおじさんによると、この時期は空が晴れて雲が少ないので、王様の雨を降らせるのに適しているそうだ。

この王室の航空機は、適度な湿度の大気中に、遮るもののない上空七千フィートで塩化ナトリウムの細かな粉末を散布し、大気の状態を変化させて多くの雲を発生させる。

これらの雲は集合体となって、一万フィートの高さまで上昇する。その後、飛行機で塩化カルシウムを散布し、雲が大きくなり過ぎないようにする。最後に、二機の飛行機がこれらの雲に突っ込む。一機は雲の頂で塩化ナトリウムを再散布し、もう一機は四十五度の角度から尿素粉末を散布するのだ。水分を限界まで含んだ雨雲は、地上に雨を降らす。その量が多いか少ないかは、雲の大きさ次第だ。

　ティアンは冷たい空気を吸いながらしばらく散策した。それから、宿舎に帰る支度をし、この日初めて会った二人の斥候《せっこう》に軽く頭を下げた。長時間待たせて悪かった、というように。学校に誰かが残っていたら、警備の兵も帰ることができないのだ。

　夕食は、ビアンレーの奥さんがまた分けてくれていた。ありがたい。簡単なおかずで冷め切ってはいるが、最高に美味しいと思う。ティアンは急いで湯を沸かし、水甕《みずがめ》に混ぜて浴びた。早くしないと、外はさらに寒くなってしまう。

　寝巻き代わりにTシャツとショートパンツを着て、転がり込むように布団に潜る。腹這いになり、肘を付いて、トーファンの手作り日記帳を飽きもせずに開く。

　そのまま知らないうちにうとうととした。が、次に意識が覚醒したのは、鼻が詰まって息苦しくなったからだった。このような症状は大抵アレルギーだ。ティアンは一度起きて座り、息が通りやすくなるようにしてみた。が、再び息を吸ってみると、きな臭さのようなものが飛び込んできて鼻腔がひりついた。

　火事？　どこだ？

　ティアンは慌てふためいて扉の外へ飛び出す。身の回りは特に異常はない。が、地平に目を凝らすと、白い大量の煙が立ち上って渦を巻いているのが見えた。山火事だ……。最初、きっと大したことはない、と考えようとした。が、その細い眉はきつく結ばれている。山火事などはこの界隈では滅多に起こり得ないと分かるからだ。

山火事は、例えば乾いた落葉が堆積し、枯葉が擦れあって摩擦熱が生じて着火することで発生する。だが、この界隈は大部分が農園だ。この仮説には無理がある。

しばらくすると、金属のようなものを打ち鳴らす音が少し離れた集落中に鳴り響いた。眠りに就いていた村人たちが起き出して集まり始め、耳をつんざくような大声で言葉にならない叫びを上げる。

これはまずい事態だ！　ティアンは慌てて懐中電灯を掴み、サンダル履きのまま、他の人たちと合流した。

人々の間をかき分けるように歩いていって、カマーのビアンレーおじさんを捕まえる。家から衣服や毛布などを持ち出し、他の人たちと一緒にいるところだった。

「おじさん、何があったんですか」

ビアンレーがこちらを見てボランティア教師に気づき、驚いた顔をする。きめの粗い顔に憂慮の色がくっきり浮いている。口を何度もぱくぱくさせ、ようやく声が出る。

「火事は崖の上です」

「崖の上ですって？　あそこには何が……」

　ティアンは言いかけたところで、はっとした。たちまち、ショックに目を大きく見開く。彼は周りの人が止める声を振り切って飛び出していった。火消しの手伝いに走ってきたつもりが、逆に彼の方が混乱してしまい、村人たちが走り出して取り押さえようとする。

　都会の青年が血相を変えて全速力で走り出した先は、高い丘の上にある学校だった。アカ族の青年たちも列をなして後に続く。近づくにつれ、きな臭さがますますはっきりしてきた。そして彼の心も燃やされたように熱くなっていく。

　前方の小さな木造校舎が炎に包まれているのを見て、両脚がぴたりと止まってしまう。ティアンは頭が真っ白になる。まるで誰かに思い出の全てを消し去られていくかのようだ。

　ここで子どもたちと過ごした美しい思い出。黒板にチョークで字を書くのもだんだん上手になってきたのに。棚の中の教科書。折り鶴。紙飛行機……全てが今、炎の中で燃やされていく。

　冷たい突風が吹き、飛ばされた紙屑が脚に触れた。白い凧だった。ティアンは緩やかな動作でかがみ、それを拾い上げる。一方で、周りは混乱を極めている。村人とパトロール隊の軍人たちは、茣蓙《ござ》や布を使って消火に努めている。油性ペンの赤い線は、凧の上で今もくっきりとしていた。

　僕が、あの人のためにこの手で描いた鬼の顔の凧が燃えてしまった。全部、燃えてしまった。もう何も残らない……。

　ティアンは手の中の紙屑をぐっと握りしめ、飛び出していく。周りで消火している人々をかき分け、最前方に出る。ティアンは腕を上げてひどい熱さと吹き上げる黒煙を避ける。内部のありとあらゆるものが火炎に抱かれ真っ赤になっている。小さな生徒たちの手で作った凧が崩れ落ちて灰になっている。先生の彼には、耐えられない。

ティアンは学校の中に向かって走り出そうとする。炎のまだ燃え広がっていない場所があったからだ。が、彼の体を頑丈な腕がいきなり押さえつける。折しも真っ黒に焦げた竹の梁が落下した。

「なんてことをしようとするんだ！」

プーパー隊長が腕の中でもがき暴れる男を怒鳴りつけた。

「あそこの物はまだ燃えてない！　あれを取りに行くんだ」

「焼け死にたいのか。柱がもう倒壊しているんだ！」

プーパーは絶叫するティアンの身体を抱え、危険な範囲から離れようとする。

「どうして水を使わないんだ。火事だぞ。布やら莫蓙で火が消えるか！」

ティアンは力の限り体を振って暴れる。が、腰を拘束する腕から逃れることはできない。

ティアンの心は火のように熱い。今、目の前で全てを焼き尽くしている炎のように。ティアンは、思い通りにならないもどかしさと怒りで、自分を羽交い締めにしている剛健な腕をつねったり引っかいたりしてしまう。そしてしゃがれた声で叫ぶ。逃げ場のもうない最後の叫びのように。

「放せ、水を汲みに行くんだ！　お前らがやらないなら、やらなくていい。これはオレの学校だ。オレの思い出だ！」

　ボランティア教師が血迷ったように取り乱している。自分の大切なものを失いつつあるのだ。火消しに集まった村人たちには、彼が何を言っているかは分からないが、それでも涙を抑えられない。高温の炎は木材や紙といった良質の燃料を得て大きく炎上し、彼らは消火の努力を休止せざるを得なくなった。そして学校の壁の一面が倒壊していくのを見つめる。

　ティアンは、喉を痛め尽くすまで叫び続ける。呼吸している口と鼻が埃と煙にやられ、体は力尽きて剛健な腕の間から崩れ落ちた。破滅を見ながら何もできなかった悔しさと痛みに両手を握り、地面に拳を打ちつける。

「水をくれ……水だけでいいんだ……」

　ティアンは呟く。一番近い水源でさえも遠過ぎて届かないことなど知っているのに、彼はどうしてもこの残酷な運命に屈することができない。

　眼窩《がんか》が熱くなる。悔しさのあまり涙で目尻が湿り気を帯びてくる。だが、頬へ落ちてきた雫は、自分の目から出てきたものではなかった。熱くなった顔の肌に染みゆくそのひんやりしたものに、ティアンは顔を上げ、曇った闇の空を見上げる。

　辺りの風は、嵐のように強まっている。はっと正気に戻り、手を顔にかざす。炎は激しく燃え盛るが、空に穴を空けた勢いで地を叩く豪雨には勝てない。およそ十五分間、皆は廃墟となった学校を囲んで立ち尽くした。どうしたらいいかも分からず、ただ、天空から降り注ぐ神の贈り物を眺めた。雨が、何者かによって引き起こされたこの惨事を鎮めてくれるのを。

正しい時、正しい場所に水をもたらしてくれた大きな雲の塊は、しばらくすると徐々に崩れていき、あとは細かい雨が大地にさらさらと散るばかりだった。村人たちは我に返って走り出し、木材の残骸にまだ少し残っていた炎を消し合った。

ずぶ濡れのティアンは顔の水滴を拭い、よろよろと起き上がると、ほとんど残骸だけとなった学校の方へ進んだ。焼け落ちて炭のようになった竹材をかき分け、何かがまだ残っていないか探す。教材を入れていた木の棚、寄付された教材は、半分以上が損傷していた。

ティアンは膝を地につき、山の子たちの宿題ノートを手に取った。それは丈夫な合板の棚で守られていたので大きな被害はなかった。色鉛筆や、まだ形をなしている爪の残骸をかき集める。灰だけになった紙飛行機と折り鶴も。

……全ての思い出を集める。

でも、これだけ残されたって。

ティアンはそれらの全てを胸に抱いた。その時、目が一枚の紙に止まった。それは端の方が少し焦げただけで、上に印刷された写真は完全に無事だった。

全てを熱く焼き尽くす火の力も、至上のご慈悲の力には畏怖したのかもしれなかった。

国王様の御心の水は決して涸《か》れることはない……。

少し前に国王の下の軍人が言ってくれた言葉がよみがえり、頭の中で何度も響いた。ティアンは腕に抱いた全てのものを振り捨て、自分で釘を打って掲げたカレンダーの肖像を跪《ひざまず》いて拾い上げ、瓦礫となった棚に立てかける。

王様の雨……国王陛下のご計画は貧困層の国民を旱魃《かんばつ》から救うことだけではなかった。それはティアンのように国王のご慈悲について知りもしなかった者の心までを救い、慰撫《いぶ》してくれるものだったのだ。

擦り傷だらけになった両手を持ち上げ、胸の真ん中で合掌した。むせび泣きに体じゅうが震える。ティアンはゆっくりと顔を上げ、降り注ぐ雨の細かな粒子を眺めた。頬の上で、雨が温かい涙と混ざる。ティアンは、一生涯おそらく口から出すことはないだろうと思っていた言葉を唱えた。

「国……王……万歳」

それはとても小さな声だったが、周りの全ての動きを静止させた。村人たちは倒壊した骨組みを除去していたところだったが、誰もが、焼けて瓦礫《がれき》となった勉強机の間に座り込むボランティア教師を見つめた。それから、タイ語と土地の言葉で、国王万歳を叫ぶ声が、忠誠を誓う波のように高い崖いっぱいにいつまでも響き渡った。

彼らにはよく分かっていた。この偶然を起こしたのは奇跡ではなく、国王陛下の計画されたプロジェクトだったのだ。

アカ族の人々も一斉に跪いた。そこは、さらさらと絶え間なく雨糸を紡ぎ続ける空へ向かって合掌する姿でいっぱいになった。全ての人々の心は、感動で満ち溢れた。剛健な軍人たちでさえも涙を滲ませた。

上空からの王様の雨は徐々に静まり、ほんの霧雨だけになった。パンダーオの崖の集落の人たちとティアンは、協力し合ってまだ直せそうな勉強机を運び出し終えたところだった。ティアンは真っ黒な煤だらけの手で顔の水滴を拭い、顔をまだらに汚す。地面の上の壊れた品々を見ると、怒りが湧き上がった。

生徒たちが何をしたというのだ。なぜ、学校をここまで燃やす必要があったのだ……。だが、そこで、はたと気づく。……いや、子どもたちは何もやってはいない。やったのは、自分の方ではないか。

サックダーの野郎め！　ティアンは怒りに歯を食いしばる。そして目の端に緑色の制服を着た部隊を捉える。軍人に似ているが、帽子と胸章が違う。推測するとすれば、おそらく、国境警備警察の部隊だ。

ビアンレーがかつて教えてくれたところによると、この地域の集落はプラピルンの崖の軍事基地の管轄区にあるということだった。しかし、市民の安全維持に関する事柄の場合、国境警備警察が合同で出動する。例えば今回の事件は、放火と推定され、警察側は犯人追跡の指示を受けていた。

ローラー作戦による犯人追跡で、事態は急速に展開した。結果、夕刻より近隣の集落から姿を消し、夜更けに戻った三人の村人がいることが分かった。取り調べたところ、関連づける証拠が発見された。ガソリンを詰めたタンクと、家の近くにぞんざいに埋められた汚れた服だ。影響力のある何者かに金銭を掴まされ、今回の放火を行ったものと推測された。

容疑者の身柄を押さえた警察が捜査の第一報告のため、プーパー隊長の元へ出頭していた。が、その時、全ての警官が驚いて声を上げる。一人の青年が嵐のごとく猛進してきたからだ。たまたま一番近くにいた容疑者が不運にもいきなり蹴飛ばされ、仰向けにひっくり返る。

頭に血が上ったティアンは、その横に跪く姿勢でいたもう一人の容疑者に向き直り、攻撃を加えようとする。が、軍の大尉がかろうじてその体を取り押さえた。ティアンは放火犯の首筋めがけて両脚で飛び蹴りする姿勢のまま宙に浮く。そして引きずられるように引き離された。

「放せ！　オレが殺してやる」

ティアンはありったけの怒号を上げる。

「暴力は犯罪だ。君は被害者ではなくなって、こいつらと一緒に豚箱に放り込まれることになるぞ」

プーパーは腕の中で暴れ狂うトラブルメーカーのお坊ちゃんをなだめ、ようやく静める。そしてまだ息を荒げているティアンを見下ろした。触れている肌の温度が異常に熱い気がする。声をかけようとしたところ、細い体がだらりとくずおれてしまった。

プーパーは、ぐったりと目を虚ろにしているティアンを引き起こし、こちらを向かせる。すべすべした額に手の甲を当て、やれやれと首を横に振る。

「熱だぞ……まったく」

遠くなりかけている意識の中、低く響く声が耳元を優しくかすめ、すっと緊張がほぐれて、ティアンの知覚は闇の中に消えていった。

プーパーはしばらく時間をかけて部下への命令を済ませると、彼らと別れてトラブルメーカーを抱きかかえ、現場を離れた。彼は軍のジープを飛ばして大急ぎで基地へ向かう。隣でくたばっている奴の熱が上がらないうちにドクター・ナームに診せねばなるまい。

軍のキャンプ前で監視にあたっていた二人の兵士は、車のライトが見えたので敬礼しようとしたが、せっかく挙げた手は全く無駄になった。というのも、そのジープはスピードをちょっと落とすことさえしなかったからだ。無線連絡を受けた衛生班が素早く車の扉を開け、毛布で病人をくるむと軍用担架に乗せ、速やかに医務室へ運んでいく。

プーパーは椅子に座って待ちながら、仕切りに遮られた診察台の方へ目をやった。ワサン医師が、その中へ消えてからずいぶん経つ。彼は、誰かが持ってきてくれたタオルで濡れそぼった髪や体を拭いた。ようやく、迷彩柄の軍服姿の親友が出てくる。腕には赤十字の縫い取りのある白い腕章をはめている。

プーパーは飛び上がり、近寄って尋ねる。「どうだ?」

「熱はそんなに高くない。少し肺炎になりかけているが、薬を飲んで数日寝れば治る。解熱剤と抗生物質を注射しておいた。しかし……」

ワサン医師は、ちょっと困った顔をして親友を引っ張り、診察ベッドから離れたところで囁《ささや》くように言う。

「胸に手術痕があるな」

「ここのところだろう？」

隊長は自分の胸の真ん中を指す。

ワサン医師は少し沈黙したが、頷く。

「痕は縦に入っている。長さは一スパン（約二十三センチ）、これくらいだ。オレの経験から言って間違いないがな、手術は〝心臓〟関係、大手術だ」

彼らは黙って目を合わせた。それで通じたようだった。最後に医者の方が長いため息をついた。

「分かった。オレは何も知らないことにする。お前が自分で解決しろ……。だがな、この後オレの患者は清拭して服を替えてやらなきゃならん。看護師にやらせるか、それとも、隊長が自分でおやりになりますかね？」

隊長はからかってきた相手を睨みつける。

「もう連れていく」

頑固な親友が体をかがめ、完全に眠り込んでいる男の細い膝に腕を差し入れ、抱き上げた。ワサンはにやりとして言う。

「連れていく、って自分の家にだろうに」

プーパーは振り向きざまにテレパシーで懲罰を下し、急いでびしょ濡れの病人を連れ出す。この大きくも小さくもない基地に常駐している軍人は一中隊だけで、パトロールする範囲は三十キロだ。任務は、主に布張りの仮設テントの中で遂行する。基地内にある将校クラスの軍人の住居は丈夫な木造で、プライベートの空間が確保されていた。

若き隊長は、腕に抱いた人を自宅のキャンプ用折り畳みベッドにゆっくり移す。このずぶ濡れの身体をなんとかして、マットレスの上に寝かせるためだ。プーパーは、一旦寝室に入ってタオルと新しい服を用意した。そして深い眠りの中にある身体からTシャツを剥ぎとろうとめくり上げた時、滑らかな白い肌が照明を浴びて目の前に現れ、思わず手を止めてしまう。

プーパーは、自分を抑えることができなかった。目の前の胸板を深くまで舐め尽くすように見てしまう。そこに突き出している淡い茶色の点々。彼は粘つく唾液をやっとのことで喉へ送り込み、天井を向いてそちらへ意識を向けるようにしながら、意を決して濡れた服を病人の首から引き抜いた。タオルで痩せこけた背中まで全て水気を取ってしまってから、再び前に戻る。

ティアンの胸の真ん中の二十センチ以上もある傷痕を見て、プーパーは考え込み、太い眉をきつく寄せる。毎週話をしている関係者の情報では、ティアンはあまり丈夫ではなく、何年もその人は、その病気をしており、今は症状は改善したが、療養中だということだった。だが、その病気が〝心臓〟に関するものだとは言っていなかった。

……もし、ティアンが何の事情もない一青年だったら、もっとずっとよく世話してやるのに。

ごつごつした指が、壊れそうな透明の額にかかる湿った髪を愛しむように梳《す》く。プーパーは息を長く吐き出してから、急いで乾いた服を着せてやった。そして重苦しい気持ちになりながら、病人のスポーツ短パンを見る。それは脚の膨らみに沿って貼りついている。大きなタオルを敷いてくるんでから中に手を入れ、短パンと、その内側のボクサーパンツの裾をまとめて摘《つま》んで引き抜いた。

プーパーは、自分のボクサーパンツをティアンにごちゃごちゃっと穿かせてやる。うっかり何かにひょっと挨拶されてしまったら、自制心を保てそうにない。全てを終えてから、もう一枚のタオルを取り、うつらうつらしている人の濡れた髪を拭いてやった。そして大仕事をやり遂げたかのように汗を拭う。

プーパーは相手の体を掬うように抱き上げ、厚いマットレスを床に置いただけのベッドに寝かせた。キルトの掛け布団もきちんと掛けてやる。プーパーは解熱剤の作用で眠っている都会の青年を見つめた。枕に埋めた顔は平和そうだ。少し安心し、自分のこの雨に濡れた体もどうにかしないと、と考えた。

仕事の続きは副隊長に押し付けてあった。プーパーは家の裏手に入っていく。体を洗う浴室として増築された部屋だ。新しい服に着替えて出てきた時には、もう夜中の十一時だった。軍の住居の自家発電機が送電を休止し、明るく光っていた電球が消えた。

プーパーは、マットレスを回り込むように向こうへ行ってハリケーンランタンを点け、それを弱めて薄明りにした。よく眠っている病人の横へどさりと座り込み、手の甲を額と頬に当て、熱を確かめる。……良かった。さっきより熱くなっていることはない。

プーパーは自分の寝台を奪っている人間をじっと見つめる。部屋の前の折り畳みベッドに寝ようかと立ち上がりかけた時、ほっそりした手が彼のTシャツの裾をぎゅっと掴んだ。

熱で赤みを帯びた顔は枕に半分ほど埋もれている。紫がかった唇が微かな声でうわ言を呟いている。隊長は頭を傾け、耳を寄せて聞く。

「母さん……」

プーパーははっと動きを止め、愛おしさに微笑んでしまう。そして小さな声で囁く。

「……母さん以外ではだめか？　別のものになりたいんだ」

まるでそれに答えるように小さな声がもごもごと聞こえ、プーパーは再び大きく微笑んだ。

……たとえそれが全く意味のない答えであるとしても。

Tシャツの裾を掴んでいる手を外そうと試みたが、指は緩みそうになかった。プーパーは、負けたよ、というように鼻からそっと息を吐く。

「眠っていても強敵なんだな」

結局、どうしたらいいか分からないので、プーパーはマットレスの端に、落ちるか落ちないかという不安定な姿勢で寝転ばざるを得なかった。しばらくすると、背中に何かが当たり、そのままぴたりとくっついた。振り向く必要はない。それが誰だかは分かっている……だって部屋には、ただ二人しかいないのだから。

プーパーはベッドを奪って図々しく寝ている侵入者を許す。背にその顔を寄せて密着してくるのを。再び目を閉じる。その顔には、これまでいつの夜にもなかった幸せの色が溢れている。

時間よ、止まれ。ただ、この瞬間だけがあればいい……。

布団の中で丸まっていた細い身体が動き始める。強い日差しが大きく開いた窓から漏れ入ってきて、ティアンはむずかるように眉間を寄せた。布団の中をごろごろと転がる。が、体をじりりと起こしてみて、頭を抱えてしまう。誰かがハンマーで叩いているかのように痛い。具を散らした粥の柔らかな香りが風に運ばれてきて、十時間以上も空になっていた胃袋が抗議の音を立てた。ティアンは首を回して部屋を観察する。ここは自分の宿舎ではない。一体、どこなのだ……？　そして、板張りの床を軋ませて踏む大きな足音が次第に近づいてきた時、全神経が緊張で固まってしまう。

扉が開き、よく見知った人が顔を出した。寝台の上のティアンはほっと胸を撫で下ろし、息を吐き出す。プーパーはいつものように緑色の迷彩服を着ていた。熱い粥の丼を持っている。

「ちょうど起きたか。厨房に頼んで病人食を作らせた。少し食べてから、薬を飲め」

プーパーはちゃぶ台を分厚いマットレスの脇に引き寄せ、丼を置く。

ティアンは口を開き、しゃがれた声を必死に出す。

「……喉が渇いた」

手を喉のところへ置き、喉がひどく痛くて声が出ないということを相手に伝える。

プーパーは頷き、水筒の水をステンレスのカップへ注いでやる。

「ゆっくりな。むせるから」

病人が震える手でカップを持ち、下を向いて水を飲む。その隙にプーパーは滑らかな額へ手の甲を近づけ、熱を測る。ティアンは熱で赤くなった目をさっと上げ、隊長の顔を見てから、かすれかけた声で尋ねた。

「ここは、あなたの家?」

「そうだ。そして君は、今、プラピルンの崖の基地、中隊の駐屯地にいる」

ご親切に位置情報も追加してくれる。

「それで、学校……」

プーパーは相手が何を聞きたいか察知し、首を横に振る。

「ほぼ全焼で、修復は不可能だ。今、軍と村人たちが協力してまだ使えそうなものを集めている。カマーの家に保管するのだ」

すでに赤くなっている瞳がさらに赤くなり、僅かにうるむ。

「……僕のせいだね？」

これがサックダーの復讐であることは間違いない。あの時、ティアンが村人たちをそそのかし、奴らをやり込めたことを恨んでいたのだ。

プーパーは、端整な顔を静かに見つめた。そして手を柔らかな髪に覆われた頭へそっと置く。

「君は悪くない。誰も君のことは責めない。……今回のことは、過ちではない。これは〝教訓〟だ」

厳しいことを教え諭す、低くて優しい声。さっきまでこらえていた涙が簡単に流れてしまう。

ティアンは沈んでいく感情をどうすることもできない。昔、誰かが言っていたっけ。身体が病にかかると、心も弱気になってしまうものだ、と……。

プーパーは手を引いて戻すついでに、うっかり普通の行為を超えてトラブルメーカーのお坊ちゃんの涙まで拭ってやってしまう。本人は指で目をこすり、赤くしている。これ以上、心を見せてやれないことを悲しく思いながら、プーパーはそれを見つめる。

「……粥を食え。冷めてしまう」

ティアンは頷き、音を立てて鼻を啜る。

「ありがとうございます」

そのただの社交辞令でさえ、いつもは平板なプーパーの顔をほのかにほころばせてしまう。

「あと、薬を飲み忘れるな。私が揃えておいた。昼にドクターが診察に来てくれるそうだ。もし体がべたべたするなら、タオルを濡らして関節の辺りを拭いておけ」

プーパーは、部屋の隅にあるプラスチックの洗面器を指した。タオルも掛かっている。

体を拭く……。病人は言葉の意味を反復するように考える。そしてゆっくりと目を下向け、着衣を見る。どう見ても、自分の服ではない。まさか、昨夜……。

ティアンは思わずシャツの胸辺りを掴んでしまう。その下には明らかな手術痕がある。体内で心臓が跳ね、懸念が過《よぎ》る。恐ろしいのは、相手が真実を知ってしまうのではないかということだ……。

ここに、もう一人、別の人間が潜んでいるのだという真実を。

胸のきりりとした痛みは意識を呼び起こそうと抗議するかのようで、それでティアンは自分の免疫抑制剤が教師宿舎のリュックの中にあることを思い出した。

「隊長。僕は集落に帰って休んでいいですか。服や物も色々ありますし」

ティアンは潰れた声で頼みつつ、大男の反応をびくびくする思いで観察した。

プーパーは相変わらず表情一つ変えないので、考えが読めない。彼は箪笥の方へ顎をしゃくる。そこに見慣れた鮮やかな色のリュックが立ててある。

「心配ない。今朝、私が持ってきておいた」

病人は目を見開く。隊長はそれに気づくが、知らぬふりをして続ける。

「しばらく、君はここにいた方がいい。安全のためだ。この事件の捜査が終わるまでな」

そして立ち上がり、扉の方へ歩いていく。木の扉が閉まる直前、いつものおっかない大声が響く。

「早く食え。カビが生えるまで待つつもりか！」

ティアンは飛び上がりそうになり、怒りの視線を送った。声は出そうとしても出ないからだ。扉が閉まり、マットレスの上で大きなため息をついてから、下を向いて冷めかけた粥を空腹に任せてかき込む。それから、袋の中の解熱剤やら抗生物質やらたくさんの薬を腹に収めた。

ティアンはよろよろとリュックに近づく。中をかき回し、洋服の下にあの薬袋がいつも通り押し込められているのを確認する。……隊長は気づいちゃいないだろう。そう考えて自分を安心させる。まあいいさ。何も言われていないんだから、何も気づいていないのだということにしておこう。

が、はたと動きを止める。重要なことを今、思い出した。仮に、昨夜、隊長が体を拭いて服を着替えさせてくれたのだとしたら、手術痕を見られるよりもっと恐ろしいのは、……を見られたかもしれないことじゃないか。ティアンは自分の体を見下ろす。最大のショックだ。

そうか、そうだったのか。再起不能だ、神様。

午後一時過ぎ、男が物慣れた様子で病人の寝ている宿舎に上がり込む。迷彩服はキャンプの他の人と変わらないが、ただ、腕に巻かれた赤十字のマークのある腕章で軍医だと分かる。ワサン医師は寝室の扉を三度ノックし、返事を待たずにそのまま開けた。

ティアンは分厚いマットレスの上に横たわり、熱でぼんやりしながらキルトの掛け布団を抱きしめていた。それから訪問者の方へゆっくりと顔を向ける。瞳は体のひどい熱で赤く染まっている。

「こんにちは。ドクター・ナーム」

かすれた声で消え入るような挨拶をする。どうやら朝より悪化しているらしい。

「患者さんの診察に来たよ」

ワサン医師は軽く微笑み、器具の入った鞄を開けてステンレスのへらを取り出す。喉の内部を診るためだ。

「口を開けて、あーと言って」

ティアンは口を少し開け、言われた通りにがらがらの声を出そうと努める。ワサンはステンレスのへらで舌を押し下げておき、ライトで照らしながら調べる。一分ほどもそうしてから、ようやく引き抜いた。

「喉の炎症がひどいね。しばらく声は出さないように。白湯を頻繁に摂って。抗生物質をもう一種類出しておくからね」

病人は頷き、ワサン医師が聴診器を耳に入れるのを見つめる。心臓と肺の音を聴こうとしているのだ。何をされるか分かり、ティアンは体を固くする。それを見てワサン医師は笑い声を立てた。

「服はめくらないと約束するよ。布の上から聴いても同じだ」

だが、その言葉を聞いたティアンは逆に怪しんで眉を寄せ、さらに緊張してしまう。

ワサン医師は長いため息をつくと、痩せた胸板のあちこちに聴診器を当てた。

「……僕にも誰にも言わないというのは、ティアンくんの権利だ。ただ、医師として、頼みがある。いつも飲んでいる薬を見せてもらえないかな。薬の種類によっては相互作用があるからね。見ておかないと、正しい薬が処方できない」

ティアンはそれを聞き、俯いた。事は制御可能な範囲をとっくに超えていたわけだ。彼が何より懸念しているのは、恐ろしく短いここでの時間が、さらに短くなってしまうことだった。

ティアンは身じろぎもせず黙って数分考え、震える手を伸ばし、壁に立てかけてあるスポーツタイプのリュックを指さした。

相手が協力的になったので、ワサン医師は優しげな笑みを広げる。彼はその場を離れ、リュックの衣服を取り出してしまってから、下に隠されていた薬袋を見つけた。だが、袋に書かれている英語の薬品名を読み、途端に難しい顔になった。

「もう、どれくらいになるんだ？」

ティアンはからからの唇を曲げ、手で数字を示した。医師は大声を上げる。

「たった五カ月だって！」

ワサン医師は全ての物を元通りに詰め直した。難しい顔をしてどすどすと戻ってくると、厚いマットレスの横に座り、声を低くする。

「……専門医のいないところへのこのこやって来ただけでなく、こんな辺鄙で不便な場所にいる。それがどれほどリスクのあることか分かるか」

最初、ワサン医師は、冠状動脈疾患か何かで、バルーン療法でも施したのだろう、と軽く考えていた。だが、袋の薬品名を見て初めて分かった。それがもっとずっと重大なものだったことに。

「ともあれ、この件はプーにも報告しなければならない。あいつはずっとティアンくんの世話をしてきたのだからね。もしも何かあった場合、奴が責任を取ることになる」

ワサン医師はそう言って立ち上がろうとするが、腕をがっしりと掴まれた。

その手は震えていた。ワサン医師の身体をなんとしてでも引き留めようとしている。瞳には頑固さと意志の強さが宿っていて、それを見た医師は半分浮かせた腰を止めた。

「……お願いします」

ひどくかれた声。可哀想に赤く腫れ上がった喉から絞り出している。

ワサン医師は一瞬黙り、諦めて元の場所に座り直す。彼は、自分の腕を掴んでいたぶるぶる震える手を取り、そっと包んだ。

「どうしてティアンくんがそこまでこの場所に拘っているのか、僕はその理由が知りたい」

答えはない。それで、ワサン医師は当ててみせようとする。

「先生になりたい？　田舎で生活してみたかった？」

今度はマシだ。ティアンは首を横に振り、違うのだと主張する。

「……まさか、プーがいるからか」

ティアンは困ったような顔をしたが、やはり首を横に振って否定した。ワサンは医師なので、そういった嘘を見抜くことにかけては長けている。彼の求めている正解に少し近づいてきた気がして、最後の一弾を撃ち込む。

「それとも、〝トーファン〟のせいか？」

ドクター・ナームの口から思いもかけなかった女性の名前が出て、ティアンは目を大きく見開いた。そして自分のおかしな反応をごまかそうとし、いきなり頭を抱えて体を横たえた。

「頭痛がする」

追い詰められて逃避したティアンを見ても、ワサン医師は何も言わなかった。

「それなら、寝ていろ。あと一時間か二時間後、部下に言って粥を持って来させる。それから、食後の薬は忘れるなよ」

病人がおざなりに頷くのを見届け、ワサン医師は静かに部屋を出た。そして、相手を追い詰めた会話について一人で考え、ひどく気が重くなった。

……死んだ教師のトーファンが重要な変数なのだとしたら、自分の親友は、この方程式の中で一体どんな変数なのだろう。

ティアンは、ただぼうっと寝ることで熱病と学校を燃やしてしまった心の傷を癒していたが、三日が経ち、ようやく体を起こせるようになった。それで彼が気づいたことは、集落にいた時、プーパー隊長の顔をずいぶん頻繁に見ていたのだなということだった。だが今、一つ屋根の下に暮らしてみて、実際の隊長の仕事がどんなに多忙を極めるものか分かった。

これまでティアンがベッドと個室を占領していたので、家主は外側へ逃げ出し、折り畳みベッドで寝ていた。朝、プーパーが点呼に出かける時、自分は起きていない。夜遅くに彼が帰ってくれば、自分は先に寝ている。つまり、ほとんど顔を合わせていないわけだ。ただ、心の温まることといえば、これは夢の中なのだが、大きな手のひらの優しさに触れられることだった。その手は、子どもを撫でるように、ティアンの頭を撫でてくれていた。

この日は、かなり症状も良くなっていた。ご飯と煮込み料理を持って見舞いに来てくれたヨート曹長と喋った後、ティアンは部屋で一人黙って過ごすのが退屈になってきた。彼は本を漁り、開いてみた。ほとんどは軍事に関するもので、特に興味があるわけではなかったが、それでも暇潰しにはなった。

プーパーが基地に戻ったのは、夜九時近くになってしまっていた。病人は眠ってしまっただろうと思い、急ぎもせず、遅くまで部下と会議をした。そして、森林局の担当官に提出する違法伐採者の摘発計画をまとめた。

　ここのところ、違法伐採者らに接近し過ぎたため、衝突する事態が頻発していた。が、雑魚を捕縛することはできても、なかなか大物には繋がらない。

　仕事を終え、プーパーは暗闇の中を歩いて帰った。宿舎に着くと、蛍光灯の灯りが見え、彼は眉を寄せる。家の縁側へ目を凝らすと、人影が一つ長く伸びていた。ティアンはキルトの掛け布団にくるまり、膝に本を広げたまま居眠りしていた。

　プーパーはティアンの手から本を引き抜き、呼びかける。

「なんで外の寒いところに座っているんだ？　熱がぶり返すぞ」

　ティアンは寝ぼけて目をこすり、ものを訊かれたので何も考えずに答えてしまう。

「あなたを待ってた」

　一瞬、どちらもびくっと固まる。が、都会の青年の方がすぐにワアワアわめき出してごまかす。

「ほら、あなたを待っていたのは、訊きたいことがあってさ。でも、あなたは全然帰ってこないじゃないか」

　だが、それも遅過ぎたようだ。いつも怒ったように結ばれている唇がすでに嬉しそうに大きくほころんでいる。

「よく分かったよ。君が唇を震わせて座っていたのは、家の前の蚊に献血してたから、と。寝ないで起きてたのは、私に訊きたい重要な話があるからだ、と」

ティアンはひそかに唾を呑み、怪しみつつ頷いた。迷彩服姿のプーパーがしゃがみ、病人の前に顔を近づけてくる。

「……ということなら、家の中で待っていればいい。こんな寒い思いをする必要はないな」

気をつかっているともとれる言葉だったが、端整な顔は赤く染まってしまう。暗に何と言われているかよく分かるからだ。ティアンは拳を固く握り、口をぱくぱくさせた。プーパーは軽く笑い声を立てながら家の中に消える。ティアンはその広い背中を睨んだ。

ティアンは、くるまっていた布団を払いのける。やり返せなかったのは不覚だった。立ち上がり、何か喧嘩を売ってやろうと相手の方へ向かうが、隊長は素早く察知し、パーカーオマー(タイの田舎で腰に巻いたりする薄い織物)を掴むとさっさと浴室に消えた。

およそ十五分後。プーパーが出てくる。腰にパーカーオマーを巻いただけの姿で、筋肉の引き締まった濃い色の裸をさらしている。彼は棚の中をちょっと見回してから、服を引っ張り出す。が、何やら熱いような、ぞくぞく寒気のするような視線を感じる。刃物を持った恋敵に狙われているみたいな気分だ。

「……私に恥ずかしいという感情があるのを知らないのか?」

腕組みをしてマットレスの上に胡座《あぐら》をかいていた男は、ふんと鼻息を吐き出す。

「恥ずかしいなら、そんな格好で部屋に入って来ないでしょう」

「ここは私の家だ。この部屋は私の部屋だ」

「でも僕がここにいるのは、あなたが決めたことなんだから、僕のものでもある」

「だからマットレスを君に提供したじゃないか。それとも、外の折り畳みベッドの方がよかったか？」

「あり得ねえ！」

まだひどくしゃがれたままの大声が跳ね返ってくる。隊長はやれやれと首を横に振った。まったく、ガキめ。

ティアンは口を曲げて悪知恵を働かせるが、その時、相手の体の傷痕が目に入った。古傷もあり、まだ抜糸していない新しい傷もある。

「どこの戦いに行ってきたんだ？」

プーパーはパーカーオマーの下にスウェットパンツを穿いてしまうと、うんざりしたように声のする方を振り返った。このお坊ちゃんは数日前の熱にやられて以来、脳みそまでウイルスに侵されちまったんじゃないか？

「私は軍人だ。任務は〝戦い〟に行くこと。君は正しい」

プーパーはつまらないことのように言う。自分のしているのは当たり前のことだ。そして手を上に伸ばし、棚の上の救急箱を取る。

「それは知ってる。僕はただ……」

そんなにも危ない、リスクのあることだとは考えていなかっただけなんだ。ティアンは後の言葉を呑み込み、ゆっくりとそちらの方へ這っていった。隊長は床に座り、傷の手当をしようとしている。剛健な広い背中は、ほとんど十年に及ぶ国家への献身で傷だらけになっていた。

バンコクの首都で贅沢な生活しかして来なかったティアンは、知らなかった。一体、何千何万の人がこのタイ国の安全保障のために犠牲になっているのかなんて。それはどこか遠い話だと思っていた。自分の父が軍人であるにもかかわらず。父は国境とは関係がなかった。だから軍の一面しか知らなかった。権力と豊かさ。周りにはいつも部下がかしずいていたから。

氷のように冷たくなった指を、裸の背中の傷に自然にそっとなぞらせていく。隊長はいつも集落に来てくれていたから、考えもしなかったんだ。……いつか、この人が帰ってこられない日が訪れるかもしれないなんて。

ティアンは血が滲みそうになるほど強く唇を噛む。そして体をねじって、アルコール消毒液を染み込ませた脱脂綿を隊長の手から奪う。白く透き通る顔には真剣さと憂いが潜んでいる。

「僕がやるから！」

プーパーは眉を寄せる。その大きな声の意味が理解できない。

「……何か、怒ってるのか？」

ティアンは答えない。その代わり、中隊長に向かって腕を上げるよう命じ、脇腹の新しい縫合痕を消毒してやる。その細い指で行われる手当は、思いの外優しかった。ポピドンヨードを塗って殺菌した後、摩擦を避けるためガーゼで押さえ、終わった。

「どうして軍人になろうと思ったんだ？」

ティアンがようやく口を開く。隊長はまだ混乱していて難しい顔をしている。

「……入隊試験の時の答えなら、国を守るために尽くしたいからだと答える。個人的な答えなら、この職業は給料は限りなく少ないが、福利厚生は悪くないからだ」

「それなら、軍人でなくてもいいじゃないか。もっと給料も良くて福利厚生も良い仕事なら、他にいくらでもある」

プーパーがティアンを見ると、その美しい目は真剣で、反論ができない。

「私は……」

「嘘でしょう」

プーパーは自分の顔を撫でた。さて、困った。結局、敗北の印に息を吐き出す。そして話し始める。

「……私の生まれた時、家族は楽ではなかった。父は軍人で役職は曹長だった。母は地方の普通の雇われ人だ。運良く私は勉強ができたから、町の学校に入れた。父の福利厚生で学費はもらえたが、他の子どもよりはずっと貧しかった。成長するに連れて、疑問が湧いた。月給が六千バーツ（日本円で約一万九千八百円）にも満たないのに、父はなぜ苦労して公務をしなければばならないのかと。工場の機械工でもやれば、当時で一万バーツ近くもらえた。そうすれば、私の生活ももっと豊かだったはずだ」

プーパーは続けた。

「だが、ある日、父は私を連れて高い崖に登り、下に広がる町のたくさんの民家や建物を指さして見せた。私は初めて知ったんだ。この国は、本当はとても広くて大きい。父は私に言った。父さんの職業はこの平和で穏やかな国を守ることなんだよ、と。父は階級こそ低かったが、任務はとてつもなく大きなものだったんだ。私は誰に恥じることもない。胸を張って誇りを持っていいことだった。その後のことはよく覚えていない。が、父のようになりたいという決意は、少しも減退することはなかった。私が人生で一番誇りを持てたのは、少尉の階級を授与された時と、卒業時にサーベルを提げた姿を父に見せられた時だ」

プーパーは過去の朧《おぼろ》から戻って目を開けた。そして正面に座っている人の細い両肩を握った。

「さあ、今度は、私が訊いてもいいだろう。君は何を思って私のことを知りたくなったんだ？」

ティアンは深くうなだれた。様々な思いに視線が揺れる。

「僕は死ぬのが怖かった。今でも、その時が来たら覚悟はできないと思う。あなたは、外へパトロールへ行く時、怖いと思ったことはないのか？」

「誰でも死は怖いんだ、ティアン」

プーパーはこれまでより優しい声で言う。

「私には未練は何もない。両親は共に亡くなった。これは長所だな。だから上は私を国境から転属させないんだ」

　最後の言葉は冗談めかしていたが、ティアンには可笑《おか》しくもなかった。細長い指で自分のスウェットパンツを強く握っている。隊長はそれをちらりと見て小さく微笑んだ。そして顔を近くへ寄せる。……鼻の高さの間隔だけを残して。

「だが、もし君が私のことを気にかけてくれるのなら、それが〝未練〟だ。もっと自分を大事にすると約束する」

　ティアンは顔を上げようとしたが、それより先に目を閉じなければならなかった。誰かの温かい唇が額に触れてきたから。その温もりがそのまま静かに刻印される。

　柔らかな甘い感情がしみ渡るように伝わっていき、心臓に達した。鼓動が乱れ、でたらめな音を立てる。その激しい痛みを伴うかのような胸に彼は手を当て、それから、どうしていいのかも分からず、赤みの広がった顔をがっしりとした首の方へ潜るように滑らせた。石鹸のいい香りがした。

「……メロドラマじゃないか」

　そんな憎まれ口が耳元をかすめ、プーパーは明るい笑い声を立てる。きっと、私たちに始まりはないだろう。願うなら、残された時間の限りをこのまま変わらずにいたいだけなんだ……。

ティアンは、昨夜いつどうやって眠ったのか思い出すことができなかった。おぼろげに覚えているのは、隊長に就寝前の解熱剤を強引に飲まされたことくらいだった。それからの記憶がすっかり消えている。目覚めたら、いつもの朝と同じように陽光が早く起きろと尻を叩いていた。だが、今日は、人が床板を踏み鳴らす音と話し声も寝室の外から聞こえてくる。

回復しつつある病人は急いで洗顔と歯磨きを済ませ、扉の外へ出た。プーパー隊長が親友の医師と話している。警戒しながら目をやると、ドクター・ナームは微笑みかけてきた。隊長に目を移すとこちらは無表情だ。何も変わったところはなさそうだったので、すぐに二人の方へ行って会話に加わる。

「今日は隊長は休みなのかい？　それにドクター・ナームも。朝早くから来るなんて」

「早くはないんじゃないかな、ティアンくん。もう十時になる」

ワサン医師がからかい、ティアンにぎろりと睨まれる。機嫌を損ねたお坊ちゃんはドクターに噛みつきそうな勢いなので、プーパーが遮るように口を挟んだ。

「私は今日は非番だ。それでドクターに君を診てもらおうとしていた。良くなっていれば、集落に帰っていい。子どもらが先生を恋しがって、うるさくてかなわん」

〝子どもら〟と聞いてティアンの顔は暗くなった。放火事件を思い出したからだ。帰れたとしても、崖の上には学校も教材ももうない。

「子どもたちは悲しんでますか？　彼らの学校がなくなってしまって」

隊長は昨夜のような優しげな笑みを広げた。慰めるように手を包み込んでくる。

「……彼らは〝クレヨン兄さん〟がいなくなったらもっと悲しむ」

「僕は、焼け残ったものが何かないか、探しに行くつもりでした」

「私が連れて行ってやろう」

プーパーが約束する。

「だがその前に水を浴びてしまえ。私がさっき湯をタンクに混ぜておいた」

ティアンは素直に頷いて部屋へ消える。ワサン医師は眼鏡のレンズ越しに奇異の視線で見送る。

「おい、プー！　お前、どんな秘密の呪文を使いやがったんだ？」

言われた方は眉をひそめる。「何だ？　呪文って」

「お前の坊ちゃん、ちょこちょこついて来る寺の子みたいだぞ。いつもは虎の子か、ワニの子かという奴が」

プーパーは手をさっとかざし、親友が悪し様に貶《けな》すのを止める。

「やめろ。別に何もない。それに、オレたちはいつもそんなひどくやり合っているわけではない！」

「そうかねえ……」

ワサン医師は語尾を伸ばし、完全には信じていない返事をする。

「そうだ、厨房から飯を運んでくるのを手伝ってくれ。お前もここで一緒に食えばいい」

「話を逸らすな。オレは近眼だが、それでもくっきりと見える。お前があの子を手懐けたってことはな」

隊長は家の階段を下りていくが、突然立ち止まる。さっと引き返し、口の悪い医者野郎の首根っこを掴んで一緒に引きずり出していく。これ以上、何か吹き込まれたらたまらない。

午後。ティアンは、元のちっぽけな小屋へ戻ることになった。衣類など荷物を持って、何日も見ていなかった集落の中の道を隊長と二人で歩いていると、寂しいような気持ちになった。村人たちがみな農園に出てしまった昼間は、限りなく静かだった。集落の学校が一つ破壊されたところで、誰もが自分と同じように心を痛めるとは思っていない。それでも、こうして全ての日常がいつも通りに流れていく現実を目のあたりにすると、一抹のもの寂しさを覚えないわけにはいかなかった。

小さな木造校舎は真っ黒焦げの柱だけが残ったが、整地のため、それらも撤去されていた。ボランティア教師は国旗掲揚台だけがぽつんと高く聳《そび》える職場を眺め、内心、悲嘆に暮れた。僅かに残った物がまだビアンレーの家にあるのか隊長に尋ねようと口を開いた時、彼の耳に聞き慣れた賑やかな声が飛び込んできた。

まだ青白い顔を声のする方へ向ける。生徒たちの小さな体が集団になって駆け寄ってきた。手には一部が焼けた紙飛行機や凧を持っている。その後ろからは、村の人たち。皆、農園に出てしまったのかと思っていたが、なんとか使いものになる棚や勉強机を持って丘を登るのを手伝ってくれていたのだ。

「先生！　良くなられましたか。わしらは、もう心配で心配で」

カマーのビアンレーは助かった宿題ノートの一部を手に、朗らかな笑顔で歩いてくる。

「よ……良くなりました、とても」

ティアンはつっかえながら言い、次々に荷物を地面に置いていくアカ族の男女に目をやった。

「おじさんたちは農園で仕事されているのかと思ってました」

胸の中になんとも言えない感情が溢れ出し、泣きたいような気持ちになる。

「先生が今日戻ってこられると隊長に聞きまして、わしらも急いで来たのです。子どもたちも先生を恋しがって、毎日文句を言われました」

「……でも、学校はなくなってしまいました」

小さなしゃがれた声で言う。心の整理はまだできていない。

「なくなったら、また新しく建てるのですよ、先生。燃やされるのが十回に及んでも、わしらは皆で十回作ります。何度でも新しく作っていたら、そのうち、奴らもうんざりして、もう壊そうとしなくなるでしょう」

ビアンレーは声を上げて笑い、手を伸ばして細い肩を叩いた。

「先生は心配なさることはありません。先生が再び立ち上がってサックダーらと戦うのなら、わしらも先生の傍におります」

ビアンレーは後ろへ向き直り、土地の言葉で何か叫んだ。結集を促したようだった。村人たちはボランティア教師の方を注視し、拳を高く掲げ、一斉に声を張り上げた。何を言っているのかは分からないが、その意味するところは明らかだった。

この間は、おとなしくしていろと僕にも戒めていたのに……。

ティアンはしゃがみ込み、手で顔を覆った。今のこの変な顔は誰にも見られたくない。肩先がぶるぶると震える。熱くなった瞳に透明な涙が溢れ、両頬を濡らしたが、乾いた唇は耳に届くくらい大きく微笑んでいた。

先生を励ますようにどっと抱きついていく子どもたちを見て、若き隊長はそっと微笑む。ティアンを集落へ帰すことに決めて良かったと心から思う。本当はできるだけ長く自分の傍に置いておきたかったのだが。プーパーはビアンレーの側に歩いていき、礼を言う。

「彼はこれほど心を痛めつけられた経験がなかったんです。きっと、今は、ずっと楽になっていると思います。カマーには何と感謝したらいいか」

「感謝なんて何を言われますか、隊長。これはわしらの方の決意ですよ」

プーパーは難しい顔つきになって言う。

「事件については、警察が放火の首謀者を追跡し、サックダーの手下の一人だったことが明らかになっています。逮捕はされましたが、全てはあの日ティアンが殴ったことを恨みに持った報復だと主張しています」

「背後にいるのがサックダーだということは、わしらにもよく分かっておるのです。が、一向に尻尾を出しません」

ビアンレーは疲労困憊《こんぱい》したように首を横に振った。

「そうとも限りません。別件で摘発できるかもしれないのです。私の消息筋によれば、現在、サックダーは市内からは姿を消しています。私が〝森〟で出くわすということもなくはありません」

「用心なさって下さい、隊長。まだ一味を潜伏させているでしょうから」

「昨日、私の中隊と奴らとの衝突がありました。残念ながら取り逃しました。それで、まだ、アジトが見つかっていないのです」

「わしらの方でも何かきな臭いことがあれば、すぐに報告します」

ビアンレーは今まで通り固く約束した。若き隊長は、頼む、というように頷き、燃やされた学校の瓦礫を片付けるため、他の人たちと合流した。

１１　崩壊

　学校がすっかり燃やされてしまったので、生徒も先生も休まざるを得なかった。教科書や教材は、カマーのビアンレーが自ら財団に連絡し、新たに寄付してもらいたい旨を頼んだが、相応の時間はかかると思われた。その間、失業中のティアンにできることといえば、新しい学習棟の設計を請け負うことだった。木材は軍と集落の人々が調達したため、あと数日のうちに新築工事が始められそうである。

　山の子たちが、学校に行く許しを両親からもらえることは多くはない。授業一回の人数は二十人以下だ。馬鹿でかい学校を設計しても労力が無駄になる。ティアンは元の形態を基にしながら、頻繁に修繕しないで済むよう構造の丈夫さを重視することにした。

　ティアンは息を吐いてマットレスの上を転がり、鉛筆に手を伸ばすと紙に線を描き始めた。これが予算の潤沢にある仕事なら、耐火煉瓦《れんが》を発注してガラス繊維混合の資材を使ってしまうのだが。そうすれば、あと千回燃やされても平気だ。銃弾にも耐え、長持ちする。

　ティアンは二人の斥候《せっこう》に微笑みかけた。彼らは学校を警備する代わりに、今は彼の宿舎周辺を監視して安全を確保してくれている。彼らが通り過ぎて間もなく、ピントー（持ち手の付いた円筒形の食品容器）とバナナの房を提げた二人の男が集落の道の方から歩いてくるのが見えた。一人はすっかり馴染みになったカマーのビアンレー、手を軽く挙げて挨拶する。それからもう一人、彼の知らない長身の若者がタイ式の合掌で挨拶した。

ティアンは弾けるように起き上がると、あたふたと合掌した。村長はすぐに連れの若者を紹介してくれる。

「先生、これはわしの倅《せがれ》です。ローンテーといいます。何日か休みができたので、帰省しております」

それで納得する。ビアンレーの息子は、この間市内の大学に入ったばかりだというから、年齢はせいぜい十八か十九だろう。彼より二つか三つ年下なだけだが、このように礼儀正しい合掌の挨拶をされてしまい、彼は妙に気恥ずかしくなる。

「こんにちは、ティアン先生。今朝、父と山菜など採りに行ってきましたので、ナムワー種のバナナを持ってきました」

ローンテーが親しげに言う。聡明そうな顔に浮かぶ翳《かげ》りのない笑みは、まったく父親譲りだ。家の上からバナナの房を見下ろす。切り離された一房でなく、何段にも重なった房がまるまる一つだ。これは一週間食っても終わらないぞ、と苦笑する。

「あ、ありがとう。先生なんて呼ばないでいいよ、さん付けでいいから」

　若者は頷き、父に続いて高床下の床机《しょうぎ》に土産を置いた。ぐるりと見渡し、本格的な田舎の道具の数々に使われた形跡があるのを見て、こっそり父に囁《ささや》く。

「あの人、こんなの使えるの？」

　彼は子どもの頃から市内の学校に通ってはいるものの、都会の人間というのは進んでいて、自分たちみたいな田舎者とは違うと思っていたのだ。

「最初はできんかったよ。が、今では使いこなしておる」

　カマーと息子は地元の言葉で会話した。ボランティア教師が慌ただしく学校の設計図を片付けて下りてくるものだから、うっかり聞かれて陰口だと思われたらたまらない。

「今日は家内が鶏を焼いて、もち米も蒸したので、先生にも持ってきました」

　ビアンレーはステンレスのピントーを開けた。きちんと切り分けた鶏と熱々のもち米、一番上の段には特製のタレが入っている。

「このタレで召し上がれ。そんなに辛くはありません」

「どうもありがとうございます。僕なら自分で焼いた卵でも構わなかったのに」とは言うものの、目の前の昼食は涎《よだれ》が出るほどいい香りだ。

「毎日、卵と野菜炒めでは飽き飽きするでしょう。食べたいものがあれば、仰《おっしゃ》って下さい。家内は何でも作ります」

　ビアンレーは気前よく言う。これまでも、こちらから少しも頼んでいないのに、彼は食べ物をいつも分けてくれていた。

「大丈夫です。これだけで十分美味しいです」

本当のことをいえば、彼は日本料理か、さもなければ西洋料理の方が好きなのだが。タイ料理、特にこういう地元の料理は、ここにやって来て初めてこんなにたくさん食べた。

「どうぞ熱いうちに召し上がれ、先生」

年配者が急き立てるので、ティアンはもち米を指でさらって丸め、口に入れて咀嚼《そしゃく》する。その行為にも以前のような恥ずかしさはなくなった。

「どうして一緒に食べないんです?」

ティアンが尋ねる。彼を訪ねてきた客がにこにこ見ているばかりだったからだ。

「わしらはもうしっかり食べてきました」

ティアンは、ああ、と声に出し、なんだか申し訳なくなってくる。

「それなのにわざわざピントーを持ってきてくれたんですか」

「いやいや、本当は倅を先生に紹介したくて来たのです。こいつはタイ語が話せますから」と、ビアンレーは訪問の目的を明かす。

「……プーパー隊長もこの頃はあまり来られんようじゃし、先生もお寂しかろうと」

それを聞き、鶏肉を喉に詰めそうになってしまう。

「来なくても別に寂しくありません!」

大声で抗議すると、相手が愉快そうに笑い出した。

「まあ、学校建設の助手を連れてきたものと思って下さい。専攻は政治学で、先生のような職人の勉強はしておらんですが」

……〝職人〟か。まあ、そう呼んでおけ。将来の技術士は苦笑する。彼は背の高い若者の方を見る。体格はビアンレーおじさんが前に言っていたように、プーパー隊長より少し小さいくらいだ。

「君は官僚志望か？」

政治学科を選択した友人は、大概、外交官の国家試験を目指していた。そうでなければ、政治家の父や母の跡を継ぐ人ばかりだった。

「僕は事務次官になりたいと思っています。そうすれば、地元の開発ができます」

「それはいい……」

ティアンの声が小さくなった。恥ずかしい気がしたのだ。自分の方が先に卒業する身だというのに、そんな理想もなければ将来への展望もなかった。工学部に進むことを決めたのも、ただ、好きなことに関する学科ならそれほど努力しなくても簡単に卒業できるだろう、と考えただけだったのだ。

ティアンが裏の水甕《みずがめ》でピントーを洗っていると、村の人が息を切らしてビアンレーを呼びに来た。二人はアカ族の言葉で話していて、意味は理解できなかったが、その仕草と顔色でかなり重大な事柄なのだとは分かった。村長は息子に先生の世話を頼み、慌ただしく去っていった。

「何事かい？」

ティアンは訳が分からずに尋ねた。

「あの……大したことではありません」

ローンテーは口を濁していたが、しつこく問いただされて口を割る。

「村人が霊に憑かれまして。森の中で発見されたので、皆で担ぎ出してきたんです」

「霊……この真っ昼間にか？」

「朝の暗いうちから山菜採りに入っていたそうなのですが、ちっとも帰ってこないので、捜しに行ったら見つかったとか言ってます」

若者は首の辺りをかいた。相手は信じていないそうなのだが、どうすればいいか分からない。

「お前、そこへ連れていけ」

ティアンは好奇心まる出しで言い出す。生まれてこの方、そのような目に見えないものに遭遇したことはないのだが、〝百聞は一見に如かず〟は座右の銘だ。

「よした方がいいです。それは……そんなに面白いものでもないです」

そんな非科学的なことを彼らが真に受けているとは、都会の人に思われたくなかった。

「だが僕は見たい！」

ティアンは強引にまとめると、一も二もなく自分より大きい奴の背を押し、先を歩かせた。

　ボランティア教師を連れてローンテーがやって来た家は、森に接した場所にあった。この界隈でよく見る高床造りの木造の小屋だ。家の裏の檻で飼っている豚の声に交じり、男の呻き声が聞こえてきて、ティアンは眉をひそめた。近所の年老いた男女が寄り集まり、ジョウマー、つまり集落専属の霊媒師の儀式を見守っている。

　ティアンは、子どもや赤ん坊を伴っている人が誰もいないことに気づく。ローンテーの説明によると、霊魂に関する物事には子どもを近づかせないということだった。純粋な魂は取り憑かれやすいからだ。

　以前、ティアンに魂呼びの儀式をしてくれたのと同じジョウマーが胡座《あぐら》をかき、呪文を唱えている。膝の前には供え物がいっぱいだ。蒸留酒を入れた竹筒、大きな蒸し鶏、おかず類を載せた丸盆、乗用の動物の形をした素焼きのようなものまであった。

　霊に取り憑かれた男はうずくまり、毛布にくるまって蒼白の顔面だけを覗かせ、震えている。ジョウマーは厳粛な面持ちで魔除けの短剣を引き抜くと、踊り始めた。どうやら、聖なる魂を呼び寄せているらしい。

　人々と一緒に見守っていたティアンは、鼻をくんくん鳴らす。かつてよく遊びに行っていた高級パブなどでよく嗅いだ匂いに似ている。彼は弟分へ耳打ちする。

「まじで霊か？　ガンジャ（大麻）と違うのか」

ローンテーは戸惑ったような薄笑いを浮かべる。返答に困り、仕方なく話を変える。

「ティアンさんは霊を信じますか？」

「どうだろうな。が、この目で見たくはないな……。お前は信じるのか？」

ティアンは気になってくる。高等教育の機会を得たアカ族の人は、こうした慣習についてどう思っているのか。

「アカ族は先祖代々、霊魂の存在を信じてきました。家の霊、森の霊、集落の霊など色々です。世代を超えて受け継がれてきた慣習もこれらの信仰が基になっています。もし、信じるか信じないかと訊かれたら、慣習に従うことを選びます。その存在を証明するとかしないとかは考えません」

「お前……」

延々と論述され、ティアンは言葉も出ない。

「……お前、ぜったい、すげえいい事務次官になれるぞ」

ティアンはそう言って正面の儀式に目を戻した。相手は何がなんだか分からず立ち尽くしている。

ジョウマーが宙を切る仕草をする。ローンテーが後で説明したところによると、森からついて来た魑魅魍魎《ちみもうりょう》を追い払っていたとのことだった。集落専属の霊媒師は葉っぱにまじないをかけて噛み砕き、蒸留酒を口に含むと、ひれ伏している男にその聖なる水を吹きつけ、顔じゅうビシャビシャにしてしまった。

ティアンはそれを見て顔をしかめた。酒に唾液に、おまけに葉っぱの噛み屑……。さぞかし素晴らしく芳しい匂いがするだろう。もし自分が霊なら、これは逃げ出すに違いない。

霊に憑かれた男は、ひいひいと哀れな声を上げるが、その前までの錯乱したような怯えようとは違っている。妻と家族が近くへどっと集まってきて、様子を見る。

ジョウマーはカマーのビアンレーの方へ歩み寄り、何か話している。ローンテーが概要を教えてくれる。いわく、この休憩中に供え物を家の前に置き、線香を焚き、家の霊たちに守護を頼み、そして様子を見るということだった。明日になって改善していなければ、森の中での大がかりな儀式となるそうだ。

「そのうち勝手に良くなるさ」

ずっと眺めていたティアンは見解を言う。

ローンテーが驚いたように眉を上げる。さっきまで儀式など信じていない様子だったのに。

「……それは、ついて来た霊が退散できたという意味ですか」

「霊だぞ。誰に見えるってんだ。だがな、悪霊退散の儀式は、はっきり見えた。だから霊が実在するかしないかはともあれ、精神的には必ず良くなる」

首都から来たボランティア教師が言わんとしているのは、こうした儀式は精神的な癒しに過ぎないということだ。若者は小さく微笑む。ローンテーは、意見の違う誰かがいたとしても怒らない。信仰というのは個人的なものだから。

「すぐ帰られますか？　ここにいても、もう何もないです」

ティアンは首を伸ばして見てみたが、村人たちはまだ件《くだん》の男を取り囲んでおり、ビアンレーもジョウマーと何やら深刻そうに話し込んでいた。

「そうするか……」

彼は簡単に答え、家の梯子段を下りた。

切れ長の目の端が供え物を捉える。誰かが家の中から持ち出したらしかった。線香も高床の柱の脇に挿してあった。心に何かが引っかかるものがあり、ローンテーと帰り道を歩きながら、思わず口に出して尋ねる。

「普段から集落の人たちはよく取り憑かれるのかい？」

ローンテーは、指で顎をこすりながら記憶を探る。彼はここで生まれたとはいえ、勉強のため町の親戚と暮らしていて、故郷とはずっと行ったり来たりの生活だった。

「精霊を拝むのは、どんな祭でもほとんどやっていますね。取り憑かれるということも時々あります。ただ、父が言っていたのですが、最近、こういう目に遭う村人が異常に多いと。森深くまで山菜を採りに行った人たちだけが遭っているそうです」

「そうしたら必ず悪霊退散の儀式をやるのか？」

「いえ、こんな風に幻覚に怯えたりしなければ、傍目には分からないこともありますから」

ティアンは理解して頷いた。そしてもう問いただささなかった。彼は回れ右をしてあの家へ引き返し、供え物の上に挿さっている線香の白煙が空中へゆらゆら立ち上っていくのを眺めた。そして何か考え込むような顔をしている。

最近になって〝霊〟の出現を促進しているものとは、何なのか……。

この日の夜は、いつもよりずっと寒くなった。ひゅうひゅうと風が音を立て、乾いた木の枝を藁葺き屋根の上へ吹き落とした。中には隙間から入ってくる枝もあった。ハリケーンランタンのほのかな光も完全に消えてしまった。燃料がなくなっていたのに、補充していなかったのだ。彼は、分厚い防寒着を着て布団にくるまり、落ち着かない様子で寝返りを何度も打った。あるいは、ジョウマーの悪霊退散を見てからというもの、考え過ぎて映像が目に焼きついてしまったせいかもしれない。その上、あの村人が遭ったという〝森の霊〟について想像して恐ろしくもなっていた。

仲良く鳴いていたコオロギたちの声まで静かになってしまい、ますます寂しげな雰囲気になってきた。ティアンは布団をきつく抱きしめ、心の中で自分に暗示をかける。眠れ、眠れ……。ところが、まどろみかけたその時、高床下から、コツ、コツと音がするではないか。彼の神経は完全に覚醒する。耳をもう一度澄ませてみるが、その音は消えていた。

ここで犬が遠吠えでもすれば、完璧ホラーだよ……。ティアンは目を固く閉じ、絶対に開けないようにする。開ける勇気は、もうないからだ。折しも、しばらく動きを止めていた風が窓からびゅうと吹き入り、きしきし床板のきしむ音がした。何かの足音がそろりそろりと這うようにして小屋に上ってきているのだ。

念仏を繰り返し唱える。〝それ〟がだんだんと近づいてくるのが分かる。遂に黒い大きな影が頭上に覆い被さる。過去に観た映画の、世にも恐ろしい霊が今まさに姿を現すというシーンが脳内で再生され、ティアンは大声で叫びたくなる。

「……分かるぞ。眠ってないな」

低くかすれた声。そして耳元に注がれる生ぬるい吐息。もはや絶体絶命、ティアンは手元の唯一の武器、枕を掴み取ると標的に向かってがむしゃらに投げつけた。が、その霊だか鬼だかは元バスケット選手だったのか、枕を完璧にキャッチする。

ティアンは叫ぶわ罵るわ、そこで霊は仕方なく正体を現すことにする。懐中電灯が明るく点灯した。さっき見た黒い影は、見慣れた迷彩柄の軍服を着ている。彫りの深い顔が眉をきつく寄せ、幽霊より恐ろしげなオーラを出している。

「隊……隊長。おい、なんで無音で来るんだよ！」

ティアンは魂の飛び出していた胸を撫で下ろし、静める。

「灯りが十一時に消えたからな。君にしてはおかしい。何かあったのかと思ったのだ」

プーパーは枕を投げ返す。ティアンはマットレスの上に胡座をかき、しかめ面をしている。

「……が、上がってきてみたら、誰か知らんが手を合わせて念仏を唱えていた。霊にでも憑かれたらしい」

「取り憑かれてるのはそっちでしょうに！　なんでこんな遅くに！　驚くじゃないか」

プーパーが座って言う。

「今、勤務が明けたところだったのだ。何日も顔を見ていなかったから、また騒ぎを起こしてやいないかと覗きに来た」

ティアンは軽く睨む。

「危うく騒ぎになるところだった。軍人、超美男子ボランティア教師宅で変死、という事件で」

「凶器は枕か？　報われないな」

プーパーは首を横に振り、怒りの視線を浴びる。

「何事もないと分かったなら、もう帰って下さいよ。明日は五時起きなんだ」

「そんな朝から何をする気だ。授業がある時でさえ、もっと怠けてるじゃないか」

「ローンテーが農園に誘ってくれた。茶摘みを教えるって」

ビアンレーの息子が戻っているのか……。齢も近いし、すぐ親しくなったのだろう。

「ろくでもない遊びを教えるなよ。ローンテーはいい子なんだ。勉強もできる。王室の奨学金もずっともらっている」

「ちょっと、僕のことはどういう人だと思ってるんですか！」

相手は答えない。が、目をしれっと上の方に向けていて、ティアンはぶち切れる。さっと起き上がり、剛健な腕をぐいぐい引っ張って扉まで引きずっていく。

「もう帰って。人が寝るって時に」

「分かった分かった」

隊長は手を挙げて退却の合図とする。が、そこでいきなり振り返る。

「……熱は治ったのか？」

「治ったよ」

「証拠を見せろ……」

何をされるか考える間もない速さで彫りの深い顔が降りてきて、形のいい厚い唇が白く透き通る額にそっと寄り添うようにキスをした。

「おやすみなさい、先生」

囁いた低い声が冷たい風の中に薄れて消えていく。放心して立ち尽くす彼には、ただ、心臓をしみ渡りゆく温かな感触だけが残されている。

ティアンは、手をゆっくりと持ち上げて自分の額に触れてみる。そして、真夜中の訪問者が視界の外へ消えてしまうまで見送った。こんな寒空の下にいるのに白い頬は柔らかな熱を持って色づき、ほてっているようで、頭の中がすっかり混乱してしまう。

……これはまた熱が出てしまいそうだ。

空が白み始めた。パンダーオの崖の集落の道では、飼われている鶏という鶏が、競って右から左から声を張り上げ、長い響きを伸ばす。ローンテーは隣をただてくてく歩いている人へ顔を向ける。その男は何度も口を開けては欠伸《あくび》している。

「大丈夫ですか。昨日はよく眠れませんでしたか？」

「眠りかけたところに邪魔が入ったんだ」

ティアンはぴりぴりした口調で言う。……夜中に入ってきて邪魔するだけで飽き足らず、さらに眠れなくなるようなことをしていきやがって。

「誰ですか？　夜遅くに訪ねてくるなんて」

「プーパー隊長だよ。真っ暗な中に現れたんで、てっきり、昼間追っ払った悪霊が取り憑きに来たのかと思った」

ローンテーはそれを聞き、意外に思って目を見張った。このボランティア教師のことはプーパー隊長が世話をしていると父から聞いて知ってはいたけれど、まさか、それほどの世話をしていたとは……。

「仲がいいんですね」

「だから違うって」

ティアンはぞんざいに答え、眼前に広がる茶の段々畑を指さして興味を逸らした。

「おい。僕らより早く来てる人がいるぞ」

ローンテーは、足を急がせて細い背中を追いかけた。下へ駆け出していったティアンは、Tシャツに防寒ジャケットを重ね、それにスウェットパンツという姿で待っている。ティアンは、鮮やかな緑の茶の木の列に埋もれるように立ち止まり、腕を広げて新鮮な空気を肺いっぱいに満たした。

いつも遠くから眺めていた。だが、実際ここに立ってみてやっと分かった。この茶の段々畑は、遥か隣の山まで続く広大なものなのだ。

ローンテーは一旦どこかへ姿を消したが、戻ってきて大きめの籠を渡す。

「始めましょうか」

ティアンは道具を受け取った。よく分からないながら、とりあえず村長の息子の真似をし、両腕を通して籠を背に担ぐ。

「あれ。切り取る鋏はないのかい？」

「手を使うんですよ。最も確実です」

ローンテーは微笑むが、相手は信じられないという顔をしている。

「……鋏を使えば早くて便利なのは確かです。でも、必要な柔らかい新芽だけを選んで摘むことができないので、茶の品質が基準以下になってしまうんです」

「ということは、ここで採れた茶はすごく上質なんだな」

「烏龍茶やそういった多くの茶は、中国から来ます。でも、ここの品種は台湾から来ているんです。まろやかないい香りがして、喉ごしもいいんです。それなのに、仲買人たちに買い叩かれ、彼らに利益を取られてしまうんです」

……それでは憐れな村人たちは貧困から抜け出せないままだ。十分な知識がないから仲買人たちの謀略が見抜けない。ティアンは大きくため息をつく。彼が立ち上がっただけでも無残に学校を焼かれてしまうのだ。これでもし皆が決起した日には、集落全てが焼かれてしまうのだろうか。ティアンは考え込んでしまう。

ローンテーはこの新人作業者を他の人の邪魔にならないところへ連れていき、教え始めた。故郷にあまり戻っていないとはいえ、彼も子どもの時から茶畑と共に育ってきた人だ。茶葉の新芽を摘むことにかけては自信がある。

「この若い新芽を見て下さい。新芽を摘む時は、こうやって、柔らかい葉も二、三枚付けておくんです」

彼は手本を見せる。

「コツは、一気に摘むことです。そうしないと葉が傷ついてしまいます」

ティアンは、頷いて着手する。が、もたもたとした彼の仕草に、こっそり見ていた老若の茶摘女たちが口を押さえて笑う。ティアンはいくつも茶葉の新芽を無駄にしながら試行錯誤し、ようやく手の力加減を覚えてきて少しは楽しくなってきた。

朝の太陽が山の端を出て、薄暗かった辺りの景色が明るく輝き始める。ティアンはひょこひょこと新芽を摘んでは背中に担いだ籠に入れ、それが三分の一くらいになったところで愚痴をこぼし始める。くたびれた腕を上に高く上げ、左右に体を捻る。

「まだ何時間もやっていないのに背中が痛くなった。皆、よく一日じゅうできるよな」

ローンテーは茶の木の間からぬっと現れ、相手の言い草に軽く声を立てて笑った。

「慣れですよ。僕たちは子どもの頃から茶摘みをやってきていますから」

「そうだ。今は授業がないけど、子どもたちが何をしてるか、知ってるかい」

「大体は家の仕事を手伝っていると思いますよ。豚や鶏に餌をやったり、もうちょっと日が高くなってきたら茶の新芽を日にさらすのを手伝ったり」

「馬鹿なこと訊くけどさ、どうしてわざわざ茶葉を干すんだ？　生のまま熱い湯を注いだらだめなのか？」

首都の人間が何でも知っているというわけではない。ティアンはこんな愚かしく聞こえる質問もする。

「田舎の知恵ですが、茶葉は、熱を通して、煎って練らないと、ああいう香ばしい風味は出てこないんです」

「つまり、新芽を日に当てるだけでなくて、まだ煎ったり練ったりしなければならないのか」

「そうです。でも、そうした工程は工場でやります」

ティアンはまだ気になることがあるというように頭の後ろをかいた。

「日に当てて乾かしたら、重量が減るじゃないか。どうして摘みたてを売っちまわないんだ」

「〝商品の価値を高める加工〟という言葉は聞いたことがありますか？」

ローンテーは大きく微笑んだ。都会の青年にしつこく訊かれてもうるさがらない。

「摘みたてをすぐ売ってしまったら、ただの原材料コストで売ることになるんです。でも、こちらで乾かす手間をちょっとかければ、僕たちから買い取る人はその工程を飛ばして次の加工工程にすぐ入れます。こちらで加工しておいてあげるんですから、僕らの商品価格も高くなるわけです」

論理的な説明を聞いたティアンは目を丸くし、思わず称賛の拍手を送る。さすが、王室の奨学生だ。彼は歩み寄ってがっしりした肩を二、三度叩き、言う。

「お前、本当にいい事務次官になるぞ」

それから、はにかんだ笑みを送ってきていた若い女性たちの近くへ歩いていき、何くわぬ顔で茶葉の新芽を摘む。残されたアカ族の若者は、やはり訳が分からないと思いつつ眺めている。

午前九時。日差しはまだそう強くはないが、働いて体をずっと動かしているので、防寒着で完全防備していた新米労働者は暑くてそれを脱ぐ。すらりとした手を上げて額に滲む汗を拭い、山肌に沿って並べられた大きなザルに新鮮な新芽を広げている人たちを手伝う。葉が乾くまで約四時間から六時間待つのだとローンテーは言う。それから、移動させてさらに十六時間の陰干しをするのだ。

金になるまで毎日死ぬほどの苦労だ。そのくせ、一キロ百バーツにもならない。これでは来世になっても左団扇《うちわ》になれそうもない。

ティアンは虫が抗議し始めた腹を撫でる。左右を見回し、ビアンレーの息子をそそのかして何か食べに戻ろうと思うが、見るとそいつは深刻な面持ちで村人と喋っているところだった。

「どうかしたのか?」

後ろからこっそり小さな声で尋ねると、ローンテーが振り向く。彼は喋っていいのかどうか少し迷う様子だったが、結局、口を開く。

「……どうか僕らのことを愚かしいと思わないで下さいね。このおじさんが言うには、集落で、また続々と森の霊に取り憑かれた人が出ているんだそうです」

ティアンはどういう見解を述べていいものかと悩むが、冗談めかして訊くことにする。

「この村はずいぶんホラーだな。同じ霊だと思うかい?」

「分かりません。彼の話によると、遭遇する前には枯草が燃えるような匂いが漂ってくるのだそうです。しばらくすると、少し炎が見え始め、歩く音もするとか。一番重症だった人は昨日のような怯え方をしています。世にも恐ろしい形相だと父が言っているそうです」

ティアンは伏し目がちに視線をさまよわせ、しばらく考えを廻らせた。薄い唇は固く結ばれている。が、程なくして顔を上げ、弟分と目を合わせて言う。

「お前、ガンジャを吸ったことあるか？」

「はあ……」

ローンテーは理解できずにただ声を漏らす。そして言う。

「ありません。昔はガンジャが栽培されていましたが、全部刈られて烏龍茶の農園になりました。ただ、古い世代の人たちは、今も吸っているかもしれません」

ティアンはにんまりする。目が爛々《らんらん》として、ローンテーは鳥肌が立ちそうだ。

「おい、暇を見て悪霊の捕縛に行こうぜ。どんな顔をしてるのか見てみたいもんだ」


新しい学校の建設図面は、規模も構造も元の学校とほぼ同じくらいにした。ただ、ティアンは、屋根の部分を実際の用途により見合うものに変更した。例えば、日除けシェードを付けたり、屋根の傾斜を高めて空気の流れを良くしたりなどだ。

軍の協力により、今回の建設工事の基本的な工具は揃った。何人もの工兵が緑がかったカーキ色の丸首シャツという簡素な姿で現れ、地面を測定し、杭打ちの箇所を定めた。崖上の強風に建物が煽《あお》られないようしっかり固定するためだ。

ティアンは大きな木陰に胡座をかき、協力に来たヨート曹長と建設工事の情報交換をする。

「先生、前回の工事は数日で終わるものでありました。ただ、今回は軍から多くの協力者は出せない状況なのです。仕事が多くて目が回りそうなものですから」

年長の男が愚痴交じりに言う。日に焼けてざらざらになった顔には、寝不足のような疲れが浮いていた。

「どうして、最近はそんなに忙しいのですか」

プーパー隊長でさえ姿を見せない。何か危険なことが起きていやしないか。ティアンは遠くを見る目になる。内心は不安の塊で埋め尽くされている。

「森で、妙な匂いを嗅いだ者がいるのです。それでパトロールのルートが長くなっているのです」

「それは本当に大変だ」

「気になさらないで下さい、先生。国民と国家を守るのは、軍人の任務です」

ヨート曹長は誠実そうな笑みを向ける。ティアンは隣で微笑みを返す。……自分まで誇らしい気持ちになりながら。

「その妙な匂いというのは、最近、村の人が森で異常に多く取り憑かれていることと関連するのですか」

ティアンはわざと何気ない様子で尋ね、探りを入れる。

「先生もご存知だったんですか」

年配の軍人ははっと厳しい顔つきになった。

「悪霊ですもんね……怖い怖い。こないだ、この集落の人も憑かれてましたよ。体を震わせて髪なんかすっかり逆立てて。悪霊退散とやらの儀式、僕も見に行きました」

ティアンは可笑《おか》しな話をするかのように大声で笑ってみせる。それでヨート曹長も態度をやわらげた。

「関連はありません。村の人たちはきっと疑心暗鬼になっているんでしょう。匂いについては、国境警備警察からの協力要請なんです。違法行為をしている者が森に潜伏している可能性があると」

ヨート曹長も、このボランティア教師のこれまでのはらはらさせるような行いは聞き及んでいるので、心配になって念を押す。

「もう悪ふざけはしないで下さいね、先生。森の奥深くにも入らないで下さい。凶悪な者どもが何人いるか、正確な人数も分かりません。それだけでなく、ケダモノどもも、うようよ蠢《うごめ》いているんですから」

ティアンはそれを聞いて冷や汗が垂れそうになり、逃げるように他の方を向くと光明が見えた。アカ族の民族衣装に身を包んだ長身の男が、ピントーと何やらたくさんの袋を持ってくる。

「ローンテー、こっちだ！」

そう大声で呼ぶなり、ティアンは荷物を持ちに走った。

もち米を蒸す小さな竹籠がいくつも入った袋、ピントー、それに大きな水筒。ティアンは大声で尋ねる。

「おい、軍隊まるまる一つにご馳走してやるつもりか？」

「軍の皆さんにも食事をお分けするように、と父が言いまして」

ローンテーは、畳んで肩に掛けていた茣蓙《ござ》を広げて木陰に敷き、食べ物を並べていった。焼いた豚肉、缶詰の魚を入れた和え物、そして欠かせないのがお馴染みの唐辛子のディップに茹で野菜。ヨート曹長は時計を見て休憩にすることにし、部下を呼びに行った。その隙にティアンは弟分に耳打ちする。

「頼んでおいた件、どうだったか？」

村長の息子は困った顔をするが、諦めて答える。

「滝を過ぎて北へ七、八キロ登ったところです。そこは密林になっています。普段、僕らはそんな遠くへ出ることはありません。ですが、今年の寒季はいつもより乾燥していて、奥まで入らないと茸《きのこ》やハーブがないんです」

例の悪霊に取り憑かれた村人から詳しい話を聞け、とローンテーはティアンに言われていたのだった。それに、憑かれたことのある他の全員からも。また、ビアンレーには言うなと脅しもかけられていた。ローンテーは非常に気が重かったのだが、どんなに止めてもこの先輩格の青年は一向に聞かないので、従うしかなかった。そして父に言いくるめられた通り、危険なことがないよう密着して世話を焼いているのだ。

「村長が町のセミナーに行く日はいつだったか？」

今回の計画のため、ティアンは再確認する。

「二日後です。ですが、ティアンさん……」

ローンテーは苦虫を噛み潰したような顔をする。

「この計画は中止にして下さい。父と隊長に知られたら、ただじゃ済みません」

「なら、お前は、真実を知りたくないというのか」

ティアンが顔を近づけてくる。ほとんど脅しだ。弟分はぶんぶんと首を横に振り、強く否定する。

「知りたくありません」

「が、こっちは知りたいんだよ！」

ティアンは大声で怒鳴りつける。憐れな獲物の耳がじんじんと痺れる。

ローンテーは手で耳を塞ぎながら俯く。泣きたいくらいだ。プーパー隊長が、どうして生き延びているのか理解に苦しむ。こんな野蛮なのに！


彼らは日時の約束をきっちりと交わした。森の奥へ調査に入るためだ。その場所は〝モンネ〟という新たな名を冠せられていた。直訳すれば〝霊の丘〟。噂のせいで村人たちはこの場所をひどく恐れているのだが、結局、背に腹はかえられず、生活のためにその場所へ立ち入っている。ローンテーは、フーポーおじさんという人に泣きついた。斥候であり、昔から山菜採りもしている人だ。そして遂に、彼に案内してもらう算段を付けた。

カマーのビアンレーは早朝三時から起き出して水浴びし、町へ下りる準備をしている。セミナーの受付の開始時刻が、朝七時だからだ。三時四十五分頃、パンダーオの崖の村長は家を出発した。掌中の珠のごとき息子は横になって刻《とき》を待っていたが、父のものと思われる足音が梯子段を下りるのを聞きつけ、がばっと飛び起きる。彼は急いで洗顔と歯磨きをし、完全に目を覚ますと、自分の民族衣装を漁る。ボランティア教師に貸してやるのだ。

集落の裏手にある小屋は、ハリケーンランタンの灯で煌々《こうこう》としていた。この家の主も目覚めているということだ。ティアンは、名を呼ぶ低い声を聞くと、扉を開けて訪問者を中に入れた。前にビアンレーがくれたアカ族の衣装で、支度はすでに済んでいる。が、彼の防寒着は色が派手で目立ち過ぎ、本日捕獲する予定の〝霊〟が萎縮してしまって姿を現さないとも限らない。だから、ローンテーを煩わせ、厚手の長袖手織り服を借りて着ることにしたのだ。

ローンテーは、しばらく無言で先輩格の友人の頭に布を巻いていく。これはアカ族であることの証となる。それから、口を開く。

「気が変わったならまだ間に合います、ティアンさん」

ティアンは同じ言葉を三日間聞かせ続けられ、うんざりしている。

「……ここまで計画したんだ。必ず尻尾《しっぽ》を掴んでやる」

「ですが、霊が今日出るとは限りません」

ティアンは、知るか、というように肩をそびやかす。

「今日出なければ、出るまで登り続けるだけだ」

「で、もしそれが本当に霊だったら、ティアンさん、取り憑かれるんですよ」

ローンテーは鳥肌の立った両腕を撫でさする。

計画の首謀者はにやりと笑い、ビニール袋を取ってきて渡す。持ち手のところが縛ってあり、中に白い粉が入っている。

「これは魔除けの粉という。投げつければだな、たちどころに霊が退散ってわけだ」

弟分は口をあんぐり開け、訳も分からずそれを受け取る。

「一体、どこから持ってきたんです?」

「ヨート曹長だよ。家の裏に菜園を作るから土に混ぜると言って、もらって来た」

そう言って自分の分の袋と懐中電灯を引っ掴むと、村人に借りてきた竹籠に入れた。なかなか真に迫っている。

ローンテーは魔除けの粉の正体を聞いて二の句が継げない。手で顔をさすり、気合いを入れる。えい、ままよ。

「行きましょう。フーポーおじさんはもう滝で待っていると思います」

二人は懐中電灯で道を照らしながら歩く。こんな時間に起きている村人はいないので、集落はひっそりと静まり返っている。集落から滝までの道は傾斜もなく、それほどでこぼこもしていないが、周囲は真っ暗で、ティアンは何度も石に躓《つまず》いて転びそうになる始末だ。彼よりずっと丈夫な若者が横で支えてやる。

「普段、僕らは、狩りに出る時でもなければ、こんな小暗い時に歩きません。危険だからです。今回、朝の四時に出発したのは、森が豊かで深く、歩くのに時間がかかるからです。目的地に着く頃に、ちょうど日が昇っていると思います」

ローンテーが森の生活についてティアンに話しているうちに、パーモークの滝に到着した。まだ暗いので、滝の秀麗な姿は見えない。ただ、滝壺を叩きつけて落下する水音だけが聞こえてくる。雨季から寒季に移ったため、水はすでにずいぶん減っているようだった。約束した相手をわざわざ探す必要はなかった。フーポーおじさんは、竹の松明《たいまつ》をあかあかと掲げていてすぐに分かった。

ローンテーとフーポーおじさんは挨拶をして少し喋り、それから二人して彼の方を見る。ティアンは年配の斥候に微笑みかけた。親しみやすい優しい顔をしている。フーポーおじさんはタイ語が話せなかったので、ローンテーを介して話すことになった。フーポーおじさんは刺激臭のある油の瓶を取り出し、腕と脛《すね》、足にも塗るように言う。森の中の蛭《ひる》や虫を避けるものだ。

全てが整った。フーポーおじさんは、間を空けずにすぐ後ろをついてくるよう、若者二人に念を押す。そうしないと迷ってしまう。それから、彼らは列になって森へ入った。深い茂みだが、けもの道があって歩くことはできる。

ティアンは懐中電灯で前を照らすものの闇があるばかりで、ひそかに息を呑む。空気は冷たく、風が梢《こずえ》を吹き交うひゅうひゅうという音がして、彼はよからぬ想像に狼狽《ろうばい》しそうになる。

念のため、歩を緩め、しんがりを歩いていたローンテーと並ぶことにした。

「大丈夫ですか？　僕は父と一回か二回来たことがありますけど、確か、あっちの山の先ですよ」

彼がここよりも高い丘の先を指さした。

ティアンは、己の限界を熟知しているので恥ずかしげもなく言う。

「時々休みながら歩けば、なんとかなる」

そして背中の籠に入れておいた水の瓶を取り出し、喉の渇きを癒した。

森の奥へ入ってきた。フーポーおじさんはちょこちょことあちこち寄り道しては、藪の中のハーブを集める。おかげでティアンも、一服するチャンスに恵まれる。

何度目かの休憩の後、歩き始めるとほんの小さなけもの道があり、それがかなり深い谷へと続いていた。ティアンは危うく足を踏み外して転げ落ちそうになった。そんなことが何度もあったが、アカ族の二人が素早く傍の木の枝を掴み、体を支えてくれる。

分かれ道に出たが、ティアンのような新米登山家には分かれ道であることすら分からない。どちらにも樹木がびっしりと重なり合っているからだ。フーポーは足を止め、ローンテーの方を向いて何やら相談する。なんだか深刻そうだ。ティアンは何が話し合われているのかさっぱり分からないので、二人の同伴者の顔を交互に見る。ローンテーが何事か知りたげな相手の視線に気づいて言う。

「フーポーおじさんは、道を右へ行ってツチグリという茸を採りたいというんですけど、そうすると、僕らも危ないんですよ」

長身の男は体を折り曲げるようにして耳打ちしてくる。

「そこなんです。霊の丘は」

「で、おじさんは霊が怖いのか？」

「怖いですよ。ですが、リスクを承知で行くんです。ツチグリは、森の中にしか生えないんです。栽培場で生やすことはできません。特に今年は旱魃《かんばつ》ですし、それでこういう森深くに探しにいくんです。見つかれば、市場価値が高いですから」

「それなら、おじさんにこう言え。何をもたつくことがある。三人もいるのだし。さ、行くぞ！」

言いながらティアンは年配の斥候へ拳を握ってみせ、ボディーランゲージで励ました。

その判断が正しかったか間違っていたかは知らないが、入っていった道はかなり奥まで続いていた。日が昇る時間になっても、辺りはびっしりと葉を茂らせた高い樹々に覆われて薄暗い。どこかに潜んで人間たちを観察している梟《ふくろう》の声が森に響き渡る。地表からの蒸気が新しい冷ややかな空気に触れ、白い靄《もや》となって一帯を薄く覆い尽くしている。

タイ語でヘット・ポと呼ばれるツチグリが、腐りかけた丸太や、地表に現れた樹の根などに生えている。これは見つけにくい。現在、容易に茸を入手しようとする人々が山焼きをすることもあり、都市部の大気汚染の原因にもなっている。

この森はかなり密度が高く、この種の茸を見つけるには草でぎっしり埋め尽くされた藪をかき分け、地面を見てみなければならない。そのため、年配の斥候にくっついて来たティアンとローンテーも志願して茸探しの手伝いをする。三人は手分けして枯葉の厚く堆積した地面を探し回るが、はぐれないように気をつけてはいる。

ローンテーは大きな樹の根元に沿って懐中電灯を当て、手で探っていく。すると、丸く白い茸が輪を描くようにいくつも寄り添って土に埋もれているのを見つけた。彼はティアンを呼んできて、見本として茸の様子を示す。そして木切れを使い、一緒に掘り出す。

茸採りの三人は、探索場所を徐々に移動し、奥へ奥へと入っていく。ティアンは長いことかがんで茸を探し、顔を上げて汗を拭い、頬を泥まみれにする。そして周囲を見回すが、恐怖の悪霊が未だに影さえ現さないことに落胆した気分になる。

……あるいは、本物の霊だったのか？　それなら、霊感のない彼には見えるわけがない。

冷たい風がさっと背を吹き抜けた。それが草の燃える匂いをうっすらと運んでくる。はっきりした匂いではない。が、アレルギー体質のお坊ちゃまは何度も連続してくしゃみをする。

ティアンが土に埋もれた茸を掘り出していた時、前方で何かが樹々をかき分けるがさがさという音がした。彼は動きを止める。薄闇に慣れた目に何かが素早く動いたのが映る。目を見開く。深く考えている暇はない。彼の脳は、走れ、と命じていた。たまたま振り向いてそれに気づいてしまったローンテーにはいい迷惑だ。彼はびっくりしてティアンの後を追っていく。

「ティアンさん！　ちょっと待って」

ティアンは、密林の奥深くへ走っていく。ローンテーは大声で呼ぶが、相手は気にも留めない。ようやく動きを止めたのは、周りがすっかり静寂を取り戻した後だった。

「くそ！　どこへ消えやがった」

ティアンは、吠えるような声を絞り出す。白く美しい顔は血が上って赤みを帯び、悔しさにねじ曲がっている。その形相ときたら、たとえ本物の霊が出たとしても、この姿を見ただけで護符などなくても退散しそうだ。

「ただの蛇か小動物かもしれませんよ」

ローンテーが意見し、急いで続ける。

「早く元の道へ戻りましょう。こんな奥まで来てしまって、フーポーおじさんとはぐれたら困ります」

ティアンは身をかがめて喘ぐような息をし、それから伸びをして肺いっぱいに息を満たそうとした。が、はっと気づく。馴染み深いとさえいえるあの煙の匂いを感じたのは、白い靄が濃く流れてきた時だった。一方、ローンテーは素早く駆け寄ってきて心配そうに背をさすっている。

「どうしましたか、ティアンさん」

「お、お前、何か匂わなかったか？」

悪さをしていた頃、ティアンはありとあらゆる種類のドラッグを試した。特にガンジャ煙草は基本ともいえる薬物だった。が、アレルギー体質なのと身体が弱いのとで、有害物質を摂取すると気管が腫れ、呼吸困難になるのがオチだった。

たとえ死ぬとしても、こんな方法では絶対に死にたくない。いくらなんでも自虐に過ぎる。

ローンテーは顔を上げ、試しに空気を吸ってみてから答える。

「……誰か、この辺りの山を焼いて茸を採っているのかもしれません」

「それもある」

ティアンはまだ、自分の考えが正しいかどうか断定する気にはなれなかった。

「が、できれば、あれは吸わない方がいい」

ティアンは頭に巻いた布を取り、鼻と口に巻き直す。そしてローンテーにもそうするよう強制する。

彼らは元の道を引き返す。踏みつけてばらばらになった枯葉が道のようになっていて、なんとか自分の足跡を辿ることができた。が、さっきの場所に着くよりも先に、森を轟《とどろ》かすような大きな呻き声が聞こえてくる。二人は、どちらからともなく顔を見合わせた。互いの驚愕の視線から想像できることは、ただ一つ。

……フーポーおじさん！

二人は脚力の限りを尽くし、枯葉を散らし飛ばす勢いで駆けつける。元の場所に着いたが、年配の斥候はその場所にはもういない。常軌を逸した人間の阿鼻叫喚《あびきょうかん》が再び上がる。さほど遠くはない。ティアンは瞬時に決断した。敏捷《びんしょう》な動きを確保するため、ずっと背負い続けてきた籠をかなぐりすてる。そして携帯してきた白い粉の袋を持って態勢を整える。

もはやこれまでだ、森の霊。正体を見せてみやがれ。

「石灰は持ったな。急げ！」

ティアンが口を塞いだ布越しのくぐもった声で命じる。

ローンテーは何も考えずにただ従う。先輩格の友人に続き、さっきの叫び声が聞こえた方向へ向かって走る。フーポーおじさんの身体が、生い茂った樹々の中へ飛び込んでいく。草木の棘が身体に刺さるが、傷つくのもまるで恐れていない様子だ。ティアンには、フーポーおじさんが何から逃げているのかまだ分からない。長身で脚の速いローンテーに合図を送り、前面に回り込ませて挟み撃ちにしようとする。

フーポーおじさんは前方を塞がれたのを見て、焦ってしっちゃかめっちゃかに退却する。が、そこで別の男の体にぶつかってしまう。その顔は布でぐるぐる巻き、見えるのは目だけだ。フーポーおじさんは呻きながら合掌し、全身を震わせ、果てしなく恐れ慄《おのの》いている……。

　これは異常だ。

　ローンテーは顔をあらわにしようとするが、ティアンがさっと手首を引っ掴んで制した。仕方なく、ローンテーは顔に巻いた布の下からフーポーおじさんに話しかける。ティアンには意味が分からないものの、フーポーおじさんの耳に何も入っていないことは分かる。おじさんは、ただ地面にひれ伏しては合掌して彼らを拝むばかりだからだ。

「まずいことになりそうだ。思うに……」

　ティアンが言い終えるより前に、年配の斥候は好機を得て、背負っていた籠を二つの人影へ思い切り投げつけてきた。ローンテーが飛びついて、どうにかツチグリの入った籠を受け止めたが、重さで少々よろめいてしまう。

　ティアンはすかさず助けに入り、ローンテーを支える。その隙に、フーポーおじさんが駆け出していくのを止められず、再び取り逃してしまった。

「大丈夫か？」

「僕は平気です。でも、フーポーおじさんは……」

「もうずーっと向こうだ」

　ティアンは答える。形良い眉を固く寄せ、鼻に巻いた布をさっと少しだけ下ろすと、すぐに元通り引き上げる。

「……ここはガンジャを燃やした匂いがひどい。お前、あんな幻覚症状にやられたくなければ、絶対に布を外すなよ」

「どうしてそんな詳しいんです？」

ローンテーが無邪気に尋ねる。かつて大麻の栽培場所だったこの地域の人間である彼でさえ、一度も吸ったことはないのだ。

「やったことがある」

ティアンは目を細くして温和な表情を作ってから、言う。

「煙草に詰めるのは大したことない。が、煙管《キセル》でやるやつはな、あれは……芳しくて舌に最高なんだ。ふわーっとやってるうちに一瞬で天国だ」

……ああ、父さん。この人、本気で悪霊より怖いです！

ティアンは相手のがっしりした肩を思い切り叩き、睨みつける。

「おい、そんな怯えるな。今は全部やめてるって」

真面目な村長の息子が信じた様子はないが、ティアンは気にしない。石灰の袋を掴むと、明るみ始めた周囲に目を配る。

「フーポーおじさんが出くわした偽悪霊はこの辺りにいるはずだ」

「でも、もし本物の霊だったら？」

「本物だったらガンジャなんか要らねえんじゃないか？　呪いでラリっちまうって」

ティアンはあてこするが、はっと口をつぐむ。藪を真っ白な布切れのようなものが素早く過《よぎ》るのが見えた。

「あそこだ！」

見えた方向を指さし、ローンテーの首根っこを捕まえて引っ立たせると、そのまま走っていく。

おそらく、悪霊野郎は長いことじっと潜んでいたのだろう。彼らに酩酊する気配がちっともないので逃げたに違いない。しかし、奴には思いも寄らなかっただろう。こっちはラリったりしないだけでなく、一度噛みついたら放さないつもりなのだ。

青年二人は、密林を縫って偽悪霊を追いかける。が、追い詰めたと思った時には、その白い布の悪霊は姿を消していた。森の中のルートなら、敵は熟知しているのだ。

ティアンは無駄に労力を使っている気がしてきた。体内エネルギーが減少してきたので、彼は早道を考える。しゃがんで手のひらサイズの石を一個掴み上げると、それを放り投げた。なんせ、アメリカのサマースクール時代には、野球チームのピッチャーだったのだ。面目躍如、石は、距離を測ったように正確に偽悪霊の背中に命中した。

偽悪霊は大声を上げ、その場に崩れ落ちる。次は、脚の速い男の出番だ。ローンテーは自分から走り出し、至近距離へ至る。さあ引っ捕らえてやろうとしたその時、偽悪霊は飛び跳ね、タッチの差でそれをかわす。ローンテーは白い布の端を掴み、びりりと引き裂いただけだった。

後から走ってきたティアンが、ジャストのタイミングで現れる。目標に手を伸ばしてなんとか掴むが、奴は、振り向きざまにいきなり何かを投げつけてきた。ティアンは本能的に手をかざしてブロックする。そしてもう一方の手で素早く石灰の袋を投げ返す。それは目の前の偽悪霊の痩せた体の頭部へ思い切りぶち当たる。

ビニール袋が破け、白い粉が散乱する。ティアンはほとんど自動的に目を閉じて顔を背ける。果たして、偽悪霊はよろよろと走って逃げ去ってしまった。ティアンは瞼に付いた石灰を払い、鼻を覆っていた布を引いてばたばた振った。

「あと少しだったのに、くそ！」

ティアンは、ゴム製の悪霊のマスクを拾い上げて眺めながら、不機嫌に罵る。

「これからどうしますか、ティアンさん」

ローンテーが息を切らしながら尋ねる。

「少なくとも、村人たちが出くわした霊が本物じゃないことだけは分かったわけだ」

吸い込んだ空気にはガンジャを燃やした匂いがもう残っていなかったので、ティアンは肺いっぱいに呼気を満たした。

「が、疑問がある。奴は何の目的でやっているのか」

「違法労働者の類ということもあります。森に潜伏していて、誰にも姿を見せたくないとか」

凶暴ボランティア教師は敵の逃亡した方向を眺めやり、にやりと、この時刻の気温より冷たい笑みを浮かべた。魔除けの石灰の効果が出始めたな。小麦粉でなく石灰を選んだのは、粗くて重いため、痕跡をより確実に残せるからだったのだ。

「どうせここまでやったんだ。さっさと真相を追っかけようぜ。痕跡が消えちまう前に」

地面に落ちた石灰は葉っぱの上に付着していて、足取りを追うにはもってこいだった。が、時間が経つにつれ、白い粉の間隔が長くなり始め、しまいにはすっかり消えてしまう。

二人は、どうしようかと意見を求めるように顔を見合わせた。ローンテーは周囲を見回す。朝になり、太陽が微かに光を注いではいるものの、こんな深い森の中だ。高校を出て一年足らずの子にとっては、やはりここにいることは恐ろしげに感じられた。

「ティアンさん……追いかけるのはやめましょうよ。これ以上奥へ入ってしまったら、国境を突き抜けてミャンマーに出てしまいます」

「あとちょっとだけだって。思うに、奴はもうこの近くにいる」

意地っ張りのティアンは、ちょっとやそっとで負けを認めたくなんかない。しかも、すでにここまで骨を折ったのだ。手ぶらで帰ってどうする。

「じゃあ、どっちの方向へ行くんです？　石灰はすっかり消えてしまいましたし……僕ら、登山家じゃないんですからね。方位磁針とかもありませんし。今なら、元の道を辿ればどうにか集落まで戻れます」

ティアンは唇を曲げて考え込んでいる。逡巡していると、ローンテーの手に握られた石灰の袋が視界に飛び込んできた。まだ捨てていなかったのだ。

「それを使うんだよ！」

ティアンはローンテーのビニール袋を奪い取る。

「いいか、これから行く道の木の下に一定間隔で石灰を撒いておく。帰る時は跡を辿ればいいだけだ。絶対に迷わない」

ティアンは興奮して意見を提示する。泣き出す寸前の弟分のことなど全くお構いなしだ。

……なんでこんなにねばるんだ！

ローンテーは百万回目のため息をつき、不承不承、後に続いて足を進める。彼らは道中の木の枝を折って印を付け、石灰も少しずつ撒いていった。汗が体じゅうから吹き出して痒くなってくる。木の枝でできた引っかき傷の部分は特にそうだ。

気温が上がり始め、おまけに夜明け前からエネルギーをひどく使っているので、ティアンは体がだるく、苛々してくる。くそったれの悪霊野郎め。なんだってこんなに見つからないんだ。捕縛した日には監獄に引きずって制裁してやるから見てろ。ティアンは腹立ち紛れに目の前の厚く茂った樹木を振り払う。が、枝々の隙間から見えた光景に、息を呑んだ。

慌てて振り向き、後ろについてきている弟分を呼び寄せようと声を上げかけた。が、ローンテーが素早く飛びついてきて、その薄い唇を塞ぐ。ローンテーはティアンを引っ張ってしゃがませた。二人はその場に身を潜める。

　二人の前方は下り坂になっていた。その先にかなり深い大きなすり鉢のような窪みがある。肉眼で捉えられる距離に、偽悪霊はいた。頭はまだ石灰の粉まみれで、ぺこぺこと何度も合掌している。奴が拝んでいる相手は、高級そうな襟付きシャツに身を包んだ一団の人々だった。うち、一人はでっぷりとした体格、首には蛇と見紛う太さの金鎖をかけ、さらに護符の小さな仏像をじゃらじゃらと付けている。この風体がティアンの記憶を完璧に呼び覚ました。

　……サックダー商人だ。

　視線をその奥へ移すと、未加工の大きな丸太が並べて積み上げられていた。何の木なのかティアンには皆目見当もつかないが、かなり大きく太そうで、樹齢何十年もの丸太であると容易に想像できる。

　なるほど……そういうわけで、見回りの手下に、悪霊の扮装をさせて村人たちを驚かさなければならなかったのか。公に目を付けられたらまずいので、自分たちとは無関係の者がこの付近に近づけないようにしたわけだ。

「ティアンさん、もう行きましょう。こんな風にアジトに戻ってるんですから、僕らの仕業はもう報告されてますよ」

　ローンテーは先輩の腕を揺すり、身に危険が及ぶ前に帰ろうと急かす。

　ティアンは、携帯電話を持っていないことを残念に思う。あいつがあれば、証拠写真が撮れたのに……。まあ、いい。集落に帰って詳しい位置を伝えれば見つけるのは難しくあるまい。彼はローンテーに首肯し、立ち去る意思を伝えた。

ところが何の不幸か、膝で這って回れ右をした瞬間、ライフルを手にアジトの周辺を警戒していた狙撃手が、敏感にも藪の中のざわざわした気配を察知してしまった。

狙撃手は何語かもよく分からない言葉で大声を上げて他の仲間に知らせると、銃を構えていきなり発砲した。ティアンとローンテーは地に吸いつくように頭を伏せる。弾丸は彼らの側面をかすめ、恐ろしいことに大樹の幹を貫通していく。

もたもたしている場合でない。

ティアンはローンテーの背中を引っ叩き、気を確かにさせる。走れ、と叫び、二人は飛び上がって駆け出す。時折、銃弾が藪を裂いてくる。違法伐採者の集団は、おそらくタイ側へ密入国してきたミャンマー人労働者らだ。聞こえてきた言葉から、ローンテーはとっさに分析した。敵の動きは素早く、僅か数分のうちに二人が逃げ惑っている小高い丘まで登ってきてしまった。

さっき撒いた白い石灰の跡を辿って走っているのだが、それもほとんど不可能になってきた。敵が前後に回り込み、完全に包囲し始めている。ローンテーの蒼白の顔を見て、ティアンは悪いことをしてしまった気がした。強情にも相手の警告を全く聞かなかったせいで、こんな事態になってしまったからだ。

「ローンテー……お前、石灰の跡を辿って元の道をどうにか帰れ。オレは奴らを別の道におびき出す」

　ティアンは振り向いて言い、アメリカネムノキの大きな幹の裏に隠れて小休止した。

「ティアンさんを見捨てるなんてできません！」

「だがもし別れなかったら、もろとも死ぬんだぞ！」

　ティアンは強く言う。

「お前の方が山の道をよく知ってる。帰って助けを呼ぶんだ。オレ一人ならなんとか隠れて奴らをやり過ごせる」

　ローンテーは唇を血が滲むまで噛む。決断しなければならない。

「ティアンさん、約束して下さいよ。僕が助けを呼んできますから、それまで必ず生き延びるって」

「おう」

　ティアンは無理してしっかりした声を出した。それから、疲れ切った顔に大きな笑みを浮かべてみせる。

「早く行けよ。そうしないと、ここでくたばりそうだ」

　ローンテーが手を伸ばしてきて、ティアンのか細い手を握る。男の約束だと言うように。そしてくるりと背を向けると、追跡してくる敵の目を逃れるために鬱蒼《うっそう》とした樹々の中へ姿を消した。

ティアンは頭をぐいと高く上げ、静かに目を閉じる。そして深呼吸し、自分に言い聞かせる。僕には勇気がある。僕は勇敢だ。かつて、心筋炎で死にかけていると知った時は、毎晩のように暴走のレースへ出かけ、魂を取りに来る死神を挑発していたものだった。

だが、こうして奇跡的に命を取り留めた今、ティアンはとてつもなく恐れている。それを繋ぎ留めておけなくなることを恐れている。きっともう、僕に今の自分の価値を教えてくれた人たちの顔を見ることはできない……。

ティアンは拳をぐっと握る。それから、目一杯の大声を張り上げ、全ての注意を自分一人に引きつける。

「間抜けめ！　オレはここだ」

間抜けどもに石つぶてを食らわせた後、道が分からなくなっていた。ティアンはさらに目眩《めくらま》しとして、履いていた靴で土の上を踏みしだくように走り、深く足跡を残してから、靴を脱いで枯葉の上へ飛び移り、方向転換をした。

そして、靴を胸に抱き、崖を下る途中の張り出した岩陰に身を隠した。新しい心臓はその役割を最大に果たし、震えるような鼓動をしている。胸全体に広がる痛みを感じた。疲労困憊《こんぱい》し、もはや、動くこともままならない。

さっきの作戦で、どうにか敵をある程度は騙せたようだ。ティアンは頭を膝に被せるように俯けた。森の静けさが、彼に残っていた勇気を刻一刻と奪っていく。念仏を唱えてみても、浮かぶのは誰彼の顔ばかりだ。そして最後に浮かんだのは、あの大きな体躯の軍人の顔だった。

　プーパー隊長は前に言っていたっけ。国を守るために生きていると……。

　それなら、この愚かな事ばかり起こす僕のことも守りに来てくれるんだろうか。

　どん、と音がした。音は頭上で響いた。それから、銃の先で、ぐっと頭を押さえつけられた。

　ティアンは一つ大きく唾液を呑み込む。もう逃げられない。

「この野郎！　手間を取らせやがって。小賢しい奴め。立て！」

　短機関銃を持った敵が、明瞭なタイ語で怒鳴った。

　ティアンは、降参の印に両手を挙げ、敵の顔を振り仰いだ。もじゃもじゃと髭をたくわえたその男は、目を細めてしばし何かを考えた後、大声を出す。

「てめえ、あの山のボランティア教師とやらじゃねえか。よくもここまで手を出しやがったな。学校を燃やされてまだ懲りねえのか」

「やっぱりお前らの仕業だったか」

　ティアンは怒りに歯軋りする。

「この腰抜けが‼　無邪気な子どもまでいたぶるんじゃねえ」

　罵られたサックダーの手下は、拳銃を挙げて教え諭すようにこめかみをなぶる。が、向こう見ずのティアンは無鉄砲にも怒鳴り続ける。

「こっちは陸軍の元副司令官の倅でな。きさまがここで手を出すか殺っちまうかした日には、全軍総出できさまらをぺしゃんこにするんだよ。死にてえなら、いつでもやりな！」

敵はぴたりと動きを止める。脅しが効いたようだ。敵は、すべすべの白い肌に包まれた端整な顔を見て考えを巡らす。……育ちの良さの分かる顔だ。つけあがったようなその長い切れ長の目も、他人に命令することに慣れていそうだ。悪人面の敵は確信は持てなかったが、銃を下ろした。

「連れて行け。サックダーさんに決めてもらう」

悪人面は周りに立っていた別の者たちに、身体を拘束するよう命じた。

ティアンはおとなしく捕縛される。今じたばたしても無駄に傷を負うだけだ。

……助けが来るまでのひとまずの時間稼ぎだ。

ティアンは後ろ手に縛られ、屈強そうな強面の男どもに囲まれ歩かされる。歩きながら、彼はテレビドラマで観るようなありとあらゆる策を講じてみる。大小の用便がしたいだの、足が痛いだの、疲れただの、歩けないだの……。が、奴らの足を止めることはできなかっただけでなく、押し飛ばされたり引きずられたりもしてしまう。とうとう、石灰を撒いた道まで戻ってきてしまった。

圧倒的な絶望が押し寄せる。ここからサックダーの巣は目と鼻の先だ。もうどんな手を使っても時間稼ぎはできない。

その時だった。森じゅうを轟かせ戦慄させる大きな銃声が響いた。敵どもは驚いて顔を見合わせる。どの顔も、それが間違いなくアジトの方向から鳴ったことを確信している。

ティアンは、絶体絶命の状況が足音を立てて去っていくのを聞いた。心臓が鼓動を速める。薄い唇が不敵な冷たい笑みを浮かべる。悪人面が叫び声を上げる。

「きさまの仕業だな、この疫病神が！　行く先々で面倒をかけてくれやがって。ところでお前のダチはどこへ消えたんだ？」

逃げたのは二人だということは知られていたらしい。

「今、気づいたのか、間抜けめ！　オレのダチが逃げおおせてなければ、誰がこうやってお前のアジトをぶっ潰しに来るか！」

ティアンは大声で罵る。途端に、銃身で頬を思い切り張られ、薄い皮膚が裂けて出血する。

「お前には死んでもらうべきだな」

「今さら殺して何になる。てめえの親分はそろそろミンチになってる頃だ」

ティアンは高笑いする。サックダーの手下どもは頭にかっと血を上らせ、ティアンを取り囲んでぼこぼこに蹴りつけた。が、ティアンも心得たもの、どうにか拘束を解くと、目の前にいた奴に飛び蹴りを食らわせてぶっ倒す。

両者はもつれにもつれるが、ティアンの方がどちらかといえば一方的に痛めつけられている。身を低くして腕を頭部にやり、最も大事な部分にダメージを受けないようにすることしかできない。その時、悪人面がタイ語で止めに入った。

「そこまでにしておけ……さっさと頭《かしら》のところへ行くぞ」

悪人面は、無数の足跡にまみれた服のティアンの腕をぐいと引き、歩かせる。他の敵どもは走って先へ行った。が、すぐに一斉に足を止め、両手を頭上高く挙げた。武器を手にしていた者もゆっくりと下に置き、地面に伏せた。

「なんだお前らは。早く行けと言っただろうが！」

悪人面が怒鳴り、ついでにティアンのぼろぼろの身体を力任せに引く。だがそれも一瞬だった。鬱蒼とした密林の間から覗く銃口は十を下らず、悪人面は声を失う。

軍のシンボルである緑色の迷彩服が、遠く離れかけていたティアンの魂を呼び戻した。ティアンは、腫れ切った目を細め、臨戦態勢で銃を構える軍人の一人一人に目を凝らしていく。最前線で陣を率いる、誰よりも大きな長身の人を見つけた時、ティアンは言葉にならない安堵を覚えた。

……この人が必ず守ってくれると信じていた。

が、小さな幸せはすぐに断ち切られた。悪人面はティアンを引っ張って首をロックし、こめかみに銃を突きつける。

「来るな！　来たらこいつを殺《や》る」

ティアンは、茶化すように目を上向ける。そして血の混じった唾を地面にぺっと吐いた。

「……人質か？　古臭いな」

サックダーの手下は怒りに顔を歪める。人質が怯えた様子も見せず、まだ減らない口を叩いてくるのだから。

「黙れ！　今すぐ脳天を吹っ飛ばしてやる」

「やれよ。クズ！」

プーパー隊長は、二人が怒鳴り合うのを見て神経がぶっ飛びそうになっていた。彼は、ライフルの銃口を地面に向け、トリガーを引く。弾は直線を描き、悪人面と人質の足のすぐ近くで炸裂した。二人が同時に飛び跳ねる。

「静かに！　狙いが外れる」

切迫した鋭い瞳を見て、ティアンは粘つく唾液をやっとのことで呑み込んだ。ティアンは、この人の冷酷で殺伐とした一面をこれまで見てこなかった。そして実際にその場に出くわすとやはり膝が震える思いがした。

「君たちのリーダーは確保された。証拠品も押収された。もう投降した方がいい。その方が罪が軽くなる」

一歩進み出て、そう説得している人がいる。その人も迷彩服を着ていたが、紋章と襟布の色は軍のものとは違っていた。今回の違法伐採者の一掃作戦には、森林局の部隊も任務の一端を担っていたのである。

「オレは信じねえ。投降なんかしたら……オレらも無期懲役だ」

プーパー隊長は、ティアンのすべすべとした顔が完全に腫れ上がっているのを見て心を乱していた。彼は、悪人面に向かって叫ぶ。

「お前がまだ人質を解放しないというなら、私がお前を殺して地縛霊にしてやる！」

ティアンは隊長の強ばった声に心配と焦りが入り混じっているのを感じ、この状況を長引かせるのは絶対にだめだと思う。何とかして事態を変えなければ。リスクが高くても。

ティアンは息を深く吸い込んだ。投降せよという説得に、悪人面が再び何かを言い返す。その隙に、ティアンは自分に銃を突きつけている相手の手首を握って自分の体から離すと、奴のこめかみに思い切り肘を当てた。

不意打ちを受けた悪人面はぐらりと体を傾け、引き金に入れていた指を無用心に引いてしまう。幸運にも軍人や国境警察の警官は素早く反応し、身を伏せて銃弾をやり過ごした。

が、それで地面に伏せていた犯人グループにチャンスができ、ばらばらと起き上がって接近戦に挑んでくる。それまでじっと睨み合っていた状況が一変し、揉み合いの乱戦となってしまった。

プーパーはティアンを拘束していた敵を一跳びで取り押さえ、もろとも地面に転がる。両者の拳銃は手を離れて落ち、殴り合いとなる。ティアンは保護されて戦闘の場から引き離された。

そして、大樹の陰でもどかしい思いをしている。

鬼軍人と悪人面が交錯し、殴る蹴るを繰り返す。悪人面は手頃な大きさの棒を掴み、打撃力を増加させる。その場を見ているティアンは思わず手を口に当てる。プーパー隊長が判断を誤り、思い切り胴を打たれた時、ティアンの心は打ちのめされた。

これはテレビドラマじゃない。現実なのだ……。骨の一本は必ずや折れている。が、隊長は立ち上がった。そしてタイ国軍人の雄々しさで敵に立ち向かっていく。

ただの役立たずの市民であるティアンに、一体、何が助けられるだろう。

敵の拳銃が落ちている。遠くはない。ティアンは思い悩む。上流階級の友達と射撃場へ行ったことはあるものの、目標を正確に撃つことはできなかった。誤って隊長を撃ってしまったらと思うと恐ろしい。が、考えている時間はもうない。

その辺の枝を持ち、地面に転がっている武器をかき寄せ、どうにか引っ掴む。それは旧式のリボルバーで、撃鉄を起こさなければ引き金が引けない。かつて彼は父の蒐集品《しゅうしゅう》をこっそり持ち出して遊んだことがある。さほど難しくはない。ただ、あとは、最適のタイミングを待つだけだ。

そのタイミングがやって来た。プーパー隊長が悪人面の体を足で踏みつけるように蹴り、相手の体が跳ねた。瞬時、両者の間に距離ができる。ティアンは大きく叫んだ。

「隊長、避けろ！」

プーパーは本能的に身を伏せ、即座に声の主の方を振り返る。そこで見たものは、ティアンが踏み出して仁王立ちになり、撃鉄を引き起こした銃を構えている姿だった。

ティアンは、体勢をまだ完全には立て直せていない標的を狙って引き金を引いた。銃の反動でティアンは後方へ弾かれる。十分な安定性を欠いた銃弾の軌道はずれて太腿に当たり、敵は仰向けに倒れた。

悪人面は、銃創の痛みに心の痛手が混じった呻き声を上げる。怒りに顔まで血が上り、血まみれの脚を引きずって、混乱の中に落ちていた誰のものだか分からない短機関銃を掴み上げる。そして、恨む相手へ銃口を向け、狙いも定まらないまま引き金を引いた。

大きな軍人が躍り上がる。ティアンの細い腰に飛びかかり、そのまま掴んでもろとも地を転がる。頑丈な腕に包まれたティアンは自分を抱きしめている人の震えを一瞬感じる。プーパーはティアンから銃を奪うと、瞬く間に撃鉄を起こして撃ち返した。

その熟練した腕は、ずっと精度の高いものだった。銃弾は宙を切って進み、敵の胸部に埋まった。相手は地の上で断末魔の叫びを上げ、そして動かなくなった。

政府の役人たちが事態の全てを掌握した。違法集団の側に死亡者と負傷者が出た。軍人と警官にも少なからぬダメージはあったが、運良く人員を損なうことはなかった。

ティアンは自分に折り重なっている大きな体が、突然がくっと力を失って体重をかけてきたのに気づく。はっきりとした血生臭さが広がり、それはまるで……まるで何だというのだろう。

ティアンは手を伸ばし、広い背中を叩いて呼び起こそうとした。だってプーパー隊長はちっとも動かない。手に触れた迷彩服がどろりと濡れているのを感じ、彼の心は空中分解してしまいそうになる。

ティアンは、小刻みに震える自分の手へゆっくりと目を移していく。鮮血の滴が静かに流れて落ちた。

「隊長！」

ティアンは慌ててプーパーの体を仰向かせ、膝に寝かせる。

「優しくしろ……」

プーパーが苦痛に顔を歪めた。

「怪我をしている！　撃たれたんだ……傷はどこだ？」

ティアンは訳も分からず滅茶苦茶に叫ぶ。

「私は……心配ない……心臓はずっと外れている」

隊長が安心させるように小さく微笑んだ。

だが、その彫りの深い顔はだんだんと色を失っていく。それにつれてティアンの嗚咽も激しくなる。死にかけているくせに、まだ冗談を言うなんて。

涙をこらえていた真っ赤な目から、透明な水が溢れて流れる。痩せた手のひらが鬼隊長のシャツの袖を握り締める。ティアンは、心の底から恐れている。もしもこの人を失ってしまったら、僕はどうすればいいのだろう。

悲惨なこの事件でティアンが改めて思い知らされたことといえば、現実の世界の中で自分はただのどうしようもない無力な子どもに過ぎないということだった。

プーパーは残りの力をかき集めて震える手を上へ伸ばし、あざだらけのティアンの両頬へ指先を滑らせ、涙を拭ってやる。

「泣か……なくていい……早く助けを……」

いつしかプーパーは気を失っていた。だが、その意識の暗闇の中では、しゃくり上げながら自分を大声で呼ぶ声を聞いていた。

……だから、泣くなと言ったのに。

それは、この傷よりもずっと大きな痛みを感じさせるのだから。

午前、チエンラーイ県の有名大学付属病院。人が徐々に溢れ始める。入院患者の大部屋には、列をなして並ぶたくさんのベッド。ティアンは放心したように寝そべっている。踏みつけられた身体じゅうが痛んだ。が、傷が外側だけで済んだのは非常に幸運だった。骨はどこも折れていなかった。

透明ですべすべとした顔は、今は殺菌薬の黄色と絆創膏だらけになっている。胴体の方も負けず劣らずだ。青あざ、紫のあざはまるでトッケイヤモリの斑点のように見える。

我慢してこの大部屋に入って三日が経つ。ティアンはプーパー隊長の情報が聞きたかった。

あの事件の日、気を失った大男を中隊の軍人たちが皆で広場まで担ぎ、ヘリコプターに緊急搬送の要請をした。ティアンや重軽傷を負った他の人たちも病院に運ばれた。

ローンテーは、たまたまこの病院のある大学の学生だったので、毎日、朝昼晩と顔を出してくれた。窓際のベッドだったことも幸運で、気分転換に景色を眺めることもできた。そうでなければ鬱になりそうだった。

プーパー隊長は、手術の後、経過観察のためＩＣＵに入った。それから五日経ったが、徐々に回復しつつあって合併症もなかったため、個室に移された。だが、その個室には、患者の安静のため、面会謝絶の札が貼られていた。

無事だったと分かっても、この目で見ない限り安心できなかった。ティアンは大きなため息をつく。

「ティアンさん、どうしたんですか？」

この日初めての見舞いに来ていたローンテーが訊いた。椅子を引いてベッドサイドに座ったところだ。

ティアンは声の方を振り向いて言う。

「……いや。ただ、退屈していただけだ」

白い学生服姿のローンテーは察したように目を細める。

「隊長が心配なんですね」

ティアンは素直に頷いた。心配しない理由もない。自分一人のせいで、隊長がこれほどの怪我を負ったのだから。

「未だに面会謝絶だ。肩を撃たれて、腕が折れただけではないのかもしれない」

「考え過ぎないで下さい。隊長は助かったんですから」

ローンテーは急いで話を変える。

「今日は、父も山から下りてきてるんです。今、ティアンさんの治療費請求のことで財務と話をしていますが、これからお見舞いに来ます」

セーントーン財団では月給がないため、ボランティア教師を僻地に派遣する際、全員を事故保険に加入させていた。

「お前は授業はないのかい？　もう九時になる」

時間も時間なので、ティアンは尋ねた。ローンテーは椅子から飛び上がるように立つ。

「今日は口頭試問もあるんでした。すみません、失礼します」

ローンテーはタイ式の合掌をし、あたふたと出ていく。

ティアンは、白いシャツに黒のズボンという制服姿の広い背中を見送る。それは自分の学生生活を思い出させた。時に、その時間を少なからず懐かしく思うこともあった。次のタームに大学に戻ったら、友人たちは誰もがもう最終学年に入っているのだ。

カマーのビアンレーは、珍しく茶色の上下揃いの服という姿で訪れた。バンコクの人が好きだろうと推測したらしく、バターの入った洋菓子を見舞い品に持って入ってくる。

「お久しぶりです、先生。具合はいかがですかな」

ビアンレーは、ティアンに対してこれまで通り親しげに頬をほころばせ、親切そうな顔を見せてくれる。最愛の息子を連れ出し、危険な目に遭わせた張本人だというのに。

罪の意識が押し寄せてくる。以前のティアンだったら、おそらく、損害賠償金をいくら請求するのか尋ねて終わっていただろう。だが、今の彼は、大切なものとは、一度失ったらどんなに願っても取り返せないものもあるのだということを身にしみて感じている。

ティアンは顔の前に手を合わせ、心から詫びる。

「……村長、本当に申し訳ありませんでした。あの日、ローンテーを連れて行ったことです。もしも彼に何かあったらと思うと、本当に何をもってもお詫びのしようがありません」

ビアンレーは、責めるつもりはないというように首を横へ振った。

「でも先生は、ご自分が犠牲になって、わしの息子を守って下さいました。もしも先生が一人で死ぬ覚悟をして下さらなかったら、ローンテーは逃げられず、助けを呼ぶこともできなかったでしょう」

「でも、軍隊はとても早かったですね。僕はもうだめだと思っていました」

「隊長は部下に命じて、わしらの集落周辺をいつもパトロールさせておりました。先生がいなくなられたことも、ローンテーに会うより前に知っておられたのです」

あの鬼の体躯の軍人のことを思い、ティアンは目を伏せて声を小さくする。

「……事を起こしたりするべきじゃありませんでした。みんながこんなに痛手を負うなんて」

「誰がそんなことを。先生はとても勇敢でした」

ビアンレーは細い手を取り、それが本心からの言葉だということを強調した。

「先生がガンジャのことに気づいて、偽悪霊を見つけて下さらなければ、村人たちはいつまでもびくびく暮らしていたはずです。悪霊の信仰というのはわしらの生活に根づいていて、切り離すことができんのです。それと、軍や役人の方でも、これまでは突入すべき地点を見定めかねていました。奴らには別の場所におびき出され、衝突するということが続いておりました」

薄い唇が照れくさそうな笑みを浮かべる。こんな賛辞は少しも欲しくなかった。もし、こんな風にプーパー隊長を瀕死の目に遭わせることになると、最初から知っていたのなら……。

「さっき、お医者様のところへ行って話してきました。先生はもうお帰りになって構わないとのことですよ」

「今日、すぐにですか？」

……まだ隊長の顔も見られていないのに。

ビアンレーは顔を近づけてきて耳打ちした。

「公立病院はこんなものです、先生。良くなった患者は追い出したいのですよ。まだ順番待ちをしている重病患者が大勢いますのでね」

理にかなったことなので、ティアンはやむを得ず頷いた。ビアンレーが医者に最後の診察を頼みに出ていった後、看護師の介助で新しい服に着替えた。ティアンはトイレの鏡に映る傷だらけの顔を疲れ切ったような目でじっと見つめ、思い悩む。

……あと一度だけだ。もしもあの人を見ずに帰ってしまったら、きっとつらくて胸が張り裂けてしまう。

ティアンは体を引きずるようにしてこっそり上階の特別患者室へ向かった。この階は比較的患者のプライバシーが守られていて、人でごみごみした様子はさほどなかった。ティアンは普通の服装をしていたし、顔を隠すようにして歩けば、スタッフは誰も見咎めたりしなかった。公立病院というのは常に多忙過ぎて、どこかの部屋を特別扱いするような余裕はないのだ。

角部屋のドアには依然として大きな札が付けられ、〝面会謝絶〟と書かれていた。ティアンはがっくりした気持ちになる。なんだっていうんだ。

ティアンは左右を見回し、誰もこちらを見ていない様子なので、そっとドアノブを回していった。鍵はかかっていなかった。できるだけ音を立てずにドアを押し、真っ先に患者のベッドへ目を走らせる。が、驚いたことにそれは空っぽだった。体じゅうの血が凍りついたような気持ちになる。

嘘だろう！

「隊長……」

ティアンは消え入るような声で呻く。そして、その小さな部屋をぐるりと見渡していく。目がぴたりと止まった。ベランダに出るドアが大きく開かれていて、探していた人の大きな体は、そこに背をもたせかけて立っていた。

……太陽の落とす影の中、その大きな背中はまるで崩れることのない剛健な〝プーパー〟……〝崖山〟のようで、あの隠し撮りされた写真そのものだった。

僕が一目で好きになった、あの写真。

その瞬間、頭が真っ白になり、この世界の全てを忘れた。ティアンは腕を大きく広げ、飛びつくように駆け寄ってその頑丈な腰をきつく抱きしめた。生きている肌に触れた温かみがじわりと広がり、嬉し涙がぼろぼろとこぼれ落ちた。

ティアンは子どものように啜り泣き、涙で隊長の服の背中を濡らした。プーパーは、いつもの無表情を思わず緩ませる。彼はギプスをはめていない方の腕を回した。二人は互いの体を固く抱きしめ合った。

「だから私は心配ないと言っただろう。銃弾は肩を貫通しただけだ。医者がもうすっかり縫ったよ」

本当はかなりの出血多量で、もし病院に着くのが遅れていたらショック症状で心臓麻痺という可能性もあったのだが。

「そん……なの、知るか。部屋……の前……は、面会謝絶と貼ってあるし。どんな重体なのかと思うじゃないか」

ティアンはしゃくり上げながら、この何日もの間の心配を吐き出すように言う。

プーパーは喉のところで軽く笑った。それから、呆れたように言う。

「でもやっぱり君は規則を破ったな」

「だって今日、退院なんだ。もうあなたの顔が見られなくなるかと思ったんだ」

隊長は体をかがめ、傷だらけの美しい顔に手を当てる。そしてその濡れた真っ赤な瞳を覗き込む。

「なら、もう泣くのはやめて、好きなだけ見ればいい」

ティアンは、まだ青白いプーパーの顔に両手をそっと当てる。頬が腫れ、唇が切れて膨れている。だが、今の今まで生きながらえてきた顔だ。ティアンは泣き笑いしながら、相手の頬にある傷痕を細い指でなぞっていく。

「あなたの顔はもう台無しだよ」

プーパーは顔を少し傾けて額をもう一人の額に合わせた。そしてそのまま離さない。

「……君のハンサムも同じだぞ」

二人は声に出して笑った。胸の中につかえていた大きな山をすっかり取り除いたみたいに。

苦しい時にこそ心が分かるというのは本当だった。ティアンは今まで命をこれほど大切に思ったこともなかったし、こんな風に誰かのために何かをしたいと感じたこともなかった。このパンダーオの崖に来て、彼の全ては変わった。

……ごめんな、トーファン。

君の〝心臓〟は、もう完全に〝僕のもの〟なんだ……。


銃創の処置にあたっていた医師団は、治療の成果に大変満足していた。まだ一週間も経っていないのに患者がここまで早く回復するとは、本人の丈夫な体のおかげに他ならない。そうでなければ、三日目から点滴を外すことなどあり得なかった。

プーパーは、午前の診察に来た医師と看護師に礼を言う。彼らは、あと数日で基地へ帰ることが可能だと告げた。白衣の人たちの後ろからは、もう一人の医師も顔を出す。ワサン医師だ。楽な私服姿で入ってくると、有名店の家鴨《あひる》の煮込みと白米を親友に渡した。

「さっき医者に会ったから、お前の具合も聞いたよ。牛か水牛かという頑丈さだな」

ワサン医師はからかいながら、プーパーのベッドを調整して背を起こしてやった。そして枕を背中に入れ、プーパーがもたれかかりやすいようにしてやった。

「早く基地へ戻りたいからな」

「帰りたいのは仕事のためか？　それとも誰かの顔が見たいからか」

察しのいい軍医がにやりとする。

隊長は怒ってごまかす。

「やかましい奴だな。さっさとオレを移す手続きをしろ」

「分かった分かった」

　ワサン医師は呆れたように首を横に振りつつも承諾する。そして思い出したように、ある一人の名前と電話番号の書かれたメモを取り出した。

「先日、トー少佐から連絡があって、今回の事件のことを訊かれた。お前が撃たれて市内の病院に入院中だと言うと、ティアンくんのことも訊いてきた。少々青あざができたが、もう集落に帰ったと言っておいた。ああ、そうだ。少佐がお前に伝えてくれと言っていたんだが、参謀長だというこの人物に折り返してほしいそうだ」

　トー少佐というのは通称で、彼らの直属の大隊長のことだった。だが、その参謀長という人物の名前に、ワサン医師は心当たりが全くなかった。

　プーパーは一瞬黙ったが、そのメモを受け取って目を走らせる。〝ピターン大佐〟という名前を見て、彼は深く息を吸い込んだ。この日が来ることは知っていた。ただ、こんな風に心の準備をする前にいきなり来るとは思っていなかっただけだ。

「お前の携帯電話を貸してくれ」

「良くなってからかけてくれればいいと少佐は言ってたが」

「良くなったさ……とても、だ」

　怪我人は自分に言い聞かせるように強く言う。

ワサン医師はむくれたように唇を曲げ、携帯電話を渡す。そして親友がメモの番号を押していくのを最大限に怪しみながら見つめる。が、賢明な彼は、その知りたい欲求をひとまず心の中に潜めておく。

プーパーは新型スマートフォンを耳に当てる。ものの十秒としないうちに電話は繋がった。

「……もしもし。プーパー・ウィリヤノン大尉であります。ご報告申し上げます」

トー少佐は怪我の具合をひとしきり尋ねてきた。そして本題に入る。

プーパーはずっと黙ったままで相手の話を聞いた。言葉はただ耳を通過していくだけのようだった。最後の命令を聞いた時、鋭い瞳から光が消えた。

「はっ……。自分が彼を送還します」

用事を済ませた相手は電話を切った。

ワサン医師は、友人が急に沈み込んでしまったのを見てため息を漏らす。

「さっきまで基地に帰ると言って嬉しそうにしていたくせに。今の顔はまるで水枯れした花みたいに萎《しお》れてるぞ」

「何でもない」

プーパーは未だに固い口を割らない。

これは荒技が必要だな。ワサン医師はベッドの端に手をかけ、体を乗り出して言う。

「なあ、ここまで来たら、もう秘密の情報交換をした方がよくないか？」

「何の秘密だ？」

「ティアンくんの秘密だよ」

透明な眼鏡レンズ越しの細い目がずる賢い狐のように光る。

「……気になってきたか？」

プーパーは眉間をきつく寄せた。いわく言いがたい腹立ちのようなものを感じる。つまり、私の知らないうちに、ティアンがこの医者野郎に喋った何かがあるというわけか？

「お前は何が言いたい……さあ、言え」

ワサン医師は手中にいいカードを持ったかのように舌を鳴らしてみせる。

「公平にいこう。質問は一人一つだ……。オレが先にお前に尋ねる。ピターン大佐とは何者で、そしてお前、またはティアンくんとどういう関係があるんだ？」

「それは質問が二つだ」

プーパーが親友を睨む。が、厚顔の狐野郎が気にするはずもない。

「接続詞を付けている。タイ語の原則で、それは一文になるんだな」

「蓋を開けてお前に秘密がなかった日には、足蹴にしてやる」

プーパーは罰を宣告してから観念して言う。

「……ピターン大佐は、元陸軍副司令官ティーラユット・ソーパーディッサクン陸軍大将の親しい部下で、そしてティーラユット陸軍大将とは、ティアンの父親だ」

その最後のところが重要なんじゃないか。ワサン医師は目を丸くする。

「ということは、お前が手取り足取りあいつの世話してやっていたのは、上の命令だったのか」

……もし本人が真実を知っちまったらどれほど傷つくか、まったく想像もしたくない。

「それはイエスだ」

……部分的にな。そう言う代わりにプーパーは牙を剥く。

「お前はすでに割当てを超えて質問している。さっさとお前の話を言いやがれ」

ワサン医師はしばし咳払いなどしてごまかしていたが、諦めて口を開く。

「……お前、ティアンくんの胸部の手術痕を覚えてるか？　大手術のようだとオレが言ったやつだ」

「覚えている。お前の推測によると、何か心臓関係の手術らしいということだった」

「それがただのバルーンや弁修復術ではなかったんだな」

ワサン医師は、非常に重要な話であると示すように声を低くする。

「手術は〝心臓移植〟だったんだ」

病床の大男が雷に打たれたように硬直する。そんな状態でケアも必要だろうに、なぜ、ティーラユット氏は末の息子をこんな不便で危険極まりない場所へ泳がせる気になったのだ。

ワサン医師は、親友の蒼白の顔をちらりと見て気の毒に思う。が、もう一つ、彼自身まだピースのはまっていない秘密があるのだ。

「もう一つ、おまけしてやる。オレが脅しをかけたら、ティアンくんが口を割ったことが一つあるんだ……彼がここに来たのは、おそらく〝トーファン〟が理由だ」

かつてここで一年近くもボランティア教師を続けていた女性の名前だった。プーパーは言葉が出なくなってしまう。トーファンは愛らしい子だった。村人たちの誰にも親切だった。彼女が自分に対してどういう感情を持っていたのか、彼はずっと知っていた。が、兄と妹のような関係以上では、彼女の気持ちに応えてやれなかった。彼女もそのことはよく分かっていて、決して一線を越えてこようとはしなかった。そして、あの晩、悲しい事故があった。

それを聞き、誰もが帰らぬ人となった彼女のことを悔やんだ。トーファンは幸せそうに話してくれたばかりだったのだ。その年の自分の誕生日を記念して、人生で一番の施しをしたのだ、と。

……死んだ後の、臓器提供。

プーパーは折れていない方の手で目を覆った。彼の身体が震え、ワサン医師が慌てて肩を叩く。

「おい、プー。どうかしたのか？」

「……もう終わりだよ。ドクター」

低く響く声がかすれ、完全に消えた。

もしも醒めない夢の中で、いつまでも現実を知らずにいられたなら、どんなに良かったことだろう……。

12　別れ

新しく建てられた崖の上の学校は、寸法は元のままだったが、強度を増した設計により、前に比べて大きくなったように見えた。午後の灼けつくような日差しの中、軍人、そして農園の作業の手が空いた村人たちは、皆で屋根の上部にせっせと藁を葺き、固定していった。

木陰の外は熱気に満ちていた。ティアンは噴き出した汗を拭う。身体じゅうの筋がまだ痛むので、仕事を多く手伝うことはできない。できることといえば、ヨート曹長らとここに座り、藁を束ねるなどの手作業をするくらいだった。

学校建設は竣工に近づいていた。とはいえ、教材はバンコクの財団が送ってくれるのを待つしかない。

カマーのビアンレーによると、運が良ければ年明け前に品物が届くということだった。運が悪ければ、年が明けて一、二週間先になる。

……ティアンもその時まで待っていたいと思う。子どもたちに授業ができる日が来たら、鬼面の隊長を誘って、また皆で凧作りがしたい。

ティアンはヨート曹長が教えてくれた通り、藁の束を竹の軸に縛りつけていく。気分は憂鬱だった。医者にもっとたくさん薬を出させておくべきだった、と思う。ただ、実際には、この胸の下の新しい臓器が拒絶反応を起こしているようには感じられない。あるいは、服用の頻度を減らすことで残りの薬を来月まで保たせるようにした方がいいだろうか。

夕方。学校建設の手伝いに来ていた村人と工兵は皆ばらばらと帰っていき、二人の斥候《せっこう》だけが外に立っている。彼らはボランティア教師を待って、宿舎へ送っていくのだ。

ティアンはまだ完全にはできあがっていない学校の中に入り、あの時の火事で焼け残った物品を漁ることに没頭していたが、ようやく目当ての物が見つかった。それで、釘と金槌を持ってくる。

彼は腰の高さの書棚によじ登り、柱の高いところ、竹の梁の下のあたりに釘を打った。そして国王様の肖像が印刷されたカレンダーを掛ける。端には燃えた跡が残っていて、見上げた時には生徒の皆も色々考えるだろうと思われた。

ティアンは振り返り、高い位置から教室の床を見下ろしてみる。そして小さな生徒たちに教えたり、一緒に楽しく遊んだりした日々のことを思い出す。たった二カ月ちょっとのことなのに、こんなにも離れがたく思うなんて信じられないくらいだった。

……まだ帰りたくなんかない。

本当はティアンはどんなリスクがあっても試してみたかった。できる限り長くここで過ごせるように……。

あの違法伐採者の集団摘発以来、斥候たちは交替でボランティア教師の警護をするよう命じられていた。それはほぼ終日にわたり、夜間も例外ではなく、小屋周辺を監視にあたる軍人がいた。サックダー商人の徒党が再び報復に現れることを警戒しているのだろう。

ティアンは斥候たちと別れ、宿舎へ入る道まで来た。が、近くまで歩いてきた時、小屋の中を人影がちらりと過《よぎ》ったのが見え、ぞっとした。そうと知っていれば、斥候たちを梯子段の下まで同行させたのに。

咄嗟《とっさ》に手に握れる太さの乾いた棒切れを探し、武器にする。そして、そろそろと忍び足で段を上り大声で脅す。

「そこにいるのは誰だ！」

返事はない。ティアンは恐る恐る扉の隙間から中を覗く。その瞬間、彼は手に持っていた棒切れを床に取り落とした。そこには、思いがけない人がいた。ティアンは、相手に飛びついていく。

「隊長！」

ティアンは、跳ねるように大きな長身の男に近づいた。右腕にはまだギプスをはめ、包帯を巻いて首から吊っている。顔色はまだ青白かったが、あの日よりはずっと良くなっているように見えた。厚い唇がほんの少し微笑む形になる。が、その冷ややかな笑みを見てティアンは硬直してしまう。

「……ずいぶん早く退院したんだね。もう二、三日かかるのかと思ってた」

ティアンは包帯の外に見える傷痕を眺め、心配になる。

「終わらせなければならない使命がある」

低い声がした。プログラムされたロボットの声のように抑揚を欠いている。

「違法伐採者の件かい？」

プーパー隊長は、虚ろな目で澄んだブラウンの瞳を覗き込む。そのまますっと窓のところまで歩いていき、ぼんやりと遠くを見ている。ティアンは、隊長の態度がどうしてよそよそしいのか意味が分からずに眉を寄せる。それを尋ねようと口を開いた時、隊長の方が先に言った。

「ここにいて、楽しいか？」

「は？」

ティアンは何と答えればいいか分からない。

「隊長。どうしたんだ？　頭でも打ったんじゃないのか」

プーパーは黙った。長い時間が経って、ようやくゆっくりと振り向き、ティアンの目を見て言う。

「楽しいお遊びに満足したなら、家に帰れ」

「楽しい？　お遊び？　意味が分からないよ……」

「君のお父さんにこれ以上の心配をかけるのはやめろ」

ティアンは、全身に呪文をかけられたように動かなくなった。お父さん？　唐突に全ての物事が繋がって、はっきりと形を成していく。ティアンは拳を握り、歯を食いしばって尋ねる。

「あなたが、どうして僕の父のことを知っているんだ！」

プーパーは少し黙ったが、感情のない声で続ける。

「私の所属部隊の上官は、以前、君のお父さんの部下だった」

「それであなたは、僕を監視するよう命令を受けたというわけだな！」

ティアンは、銅像のようにじっと動かない人に激情をぶつける。悲痛と、失望。二つの感情が混じり合ってごちゃごちゃになる。

プーパーはただ首肯した。その顔は、これまでのごたごたした出来事に疲れ切り、うんざりしているように見えた。

「私のような軍人が、誰かに水の沸かし方やら服の洗い方まで教えるほど暇だとは、君も思っていなかっただろう」

伝わってくる冷淡さ……それは痛烈な言葉よりももっと痛みを与えてくるものだった。ティアンは唇をねじ曲げてきつく睨み、プーパーの本心を見定めようとした。だが、今、その相手はティアンの知らない誰かになり果ててしまっていた。

「では、もし命令がなかったら、あなたがこんな風に僕に興味を持つことはなかった、とそう言うんですね？」

「……君の理解で正しい」

そう言われ、ティアンは足元にあった水のペットボトルを思い切り蹴飛ばした。それは弾け飛んで〝世話人〟の立っている位置の竹壁に激突した。中にまだ残っていた水が飛び散り、彫りの深い顔を濡らした。

元暴走ギャングの青年は、隊長に掴みかかり、怒りに任せてシャツの襟首を引っ張る。身体じゅうの毛穴から煙を噴きそうなほどの怒りだ。ティアンは大声でわめき散らす。

「それで僕を返せと命令されたんで急いで帰ってきて任務終了というわけか。あなたという人はほんっとうに優秀な軍人だな！」

「ティアン、放せ……」

プーパーは相手の火神のような猛烈な怒りを冷静さで鎮めようとするのだが、逆にそれは激しく燃え盛る炎に油を注ぐことになってしまう。

「放すもんか。あなたは最低だ。嘘つきだ。とんだペテン師だ！」

声を上げれば上げるほど、自分の声がむせび泣きに紛れて小さくなっていってしまう。

「今までしてくれたこと全部、その中に一つも真実はなかったと、そう言うんだな」

ティアンは悲しさと悔しさで火のように熱くなった目を閉じる。そして、かつて自分を守ってくれた強靭な厚い胸の上に額を寄せ、いつしか力を失っていく……。

プーパーはすらりと細い身体を見下ろし、心が崩壊しそうになる。できるなら、ティアンを自分の元に留めておきたい。だが、ティアンのこの先の長い道と明るい将来のことを考えれば、困難以外の何も与えてやれないこの手は、彼を放ってやるしかないのだ。

私たちはただ……違い過ぎる。

もう彼を本当の世界に返してやる時だ。プーパーは息を深く吸い込み、タフな精神を呼び覚まして自分を覆い包む。……血まみれのこの心臓を鎧兜《よろいかぶと》で堅く厚く塗り固める。

「君がここへ来た理由も、別の人のためだったんじゃないのか？」

ティアンはさっと顔を上げる。眉をきつく寄せ、何かに怯えたようにティアンは訊き返す。

「……誰のことを言っているんだ？」

「その日記の中の女性だ」

プーパーは、マットレスの上に出ていた甘ったるい色の手作りノートに目を投げる。

「本当のことを全部知ったよ。君はもう、嘘をつく必要はない」

他人の物を引っ張り出すとはいい度胸だ。ティアンは、かっとして大きな身体を押し離した。

薄い唇がぶるぶると震えている。赤くなった目から再び熱い涙がこぼれ落ちた。

「僕は……嘘はついていない」

「だが、真実も言わなかった」

「じゃあ、あなたはどんな真実が聞きたいんだ！」

ティアンは絶叫する。

「トーファンが僕の心臓のドナーだという真実か？　それで僕が取り憑かれて、彼女の人生を真似して山の不便な生活をしたいと、そう思ったとでも？　馬鹿にするな！」

ティアンは拳を握り、薄っぺらい竹壁を殴りつける。小屋全体が揺れた。だが、怒りを爆発させたところで、過去が取り返せるわけではない。

鋭い目が光る。プーパーは、小屋の壁を叩いた細い腕をぐいと引き寄せる。

「それとも君は、君のような金持ちのご子息様が、ある日突然貧しい人たちのために尽くしたくなったと言うわけか？　笑わせるのもいい加減にしろ！　君の楽しい遊びの計画は終わりだ。さっさと荷物をまとめろ。明日、私がヨート曹長に言って停車場まで送らせる」

まるで、心の後ろ暗い部分をつつかれたかのようで胸全体に痛みが広がる。……そうだ、その通りだ。最初はただの好奇心で、知らなかった世界にわくわくしていただけだ。それからは何もかも意地だった。が、この集落のためにしてきたあれこれは何だったのだろう。日々が過ぎ去った今、もし、それらが心の繋がりでないのだとしたら、一体、何と呼べばいいのだろうと思う。

「僕は帰るさ。だが、明日じゃない！」

ティアンは自分の手首を捻って拘束を解き、鼻を拭って言い切る。

「……本当は、僕はただ、トーファンが憐れだっただけだ。事故で死んだだけでも可哀想なのに、彼女の心臓は僕の命まで助けてくれた。彼女の日記を読んだなら、最後の願いも見ただろうな」

プーパーは顔を引き締める。

「彼女が願っていたのは……」

が、その言葉を言い終える前に、限りなく我儘なお坊ちゃんは宣言する。

「五日だけくれ。今から年末のその日までだ」

ティアンは目を見つめてくる。

「あなたの最後の使命は、夜中の十二時に、そこで、僕を待っていること」

ティアンは左胸に触れる。強く脈打つ心臓に誓っているかのように。

「そうしたら、僕は〝彼女〟を連れて行くよ」

その瞬間、プーパーの周りで全ての音が消えてしまったような気がした。もし、これで別れてしまえば、思い切りがつく。だが、別れの日を引き延ばして指折り数えることになったら、ゆっくりと悶え苦しみながら死へ向かうようなものだ。プーパーは口の端に自嘲《じちょう》めいた笑いをひきつらせた。だが、彼はティアンの強い決意を聞いて、ただ頷いた。

「……約束だぞ」

ティアンは言い、まだ薄くあざの残っている顔を高慢な仕草で上げると、語調を強めた。

「でも今はあなたの顔も見たくない！　出て行け！」

プーパーは、一切の感情を呑み込んでティアンに背を向け、出て行った。振り返ろうとは思わなかった。行く手の空に、太陽が山の端へ沈みかけているのが見えた。気温は下がり、骨の髄まで冷気がしみた。プーパーは魂が抜けてしまったかのようにただ歩いた。そして、高い樹の下に停めた古いオートバイの前で立ち止まった。

崩れるように地に膝をつく。……もう全ての力は使い果たしてしまった。前に涙を拭ってやった指を見つめる。今日もこの指を持ち上げるまではしたのに、とうとうその涙を拭ってはやれなかった。

「君に、ここに……いてほしい」

……永遠に。

乾き切った低い声は、冷たい風に吹かれて消えていく。

そしてもう二度と、あの誰かの心臓……心にこの声が届くことはないのだろう。


カマーのビアンレーは自らステンレスのピントーを提げ、昼過ぎに教師の宿舎へ来た。ティアンのことが心配でたまらなかったからだ。

ティアンは、二日前からどこへも出ていなかった。訪ねていくと、本人は掛け布団にくるまって苦しげな顔をしている。そして、ただ少し具合が悪いだけだから寝かせておいてほしいと言うばかりだ。食事はビアンレーの妻が毎食作って持って行くのだが、それも猫の子みたいにちょっとしか食べていない。もし、今日もティアンの具合が良くなっていなければ、町の医者まで担いでいこうと決めていた。

だが、その前に疑問は解けた。ついさっき巡回だったヨート曹長が立ち寄り、話をしていったので、事情が分かったのである。ヨート曹長によると、ティアンの滞在が年明けまでと決まったのだそうだ。ビアンレーは、どうしてまだ三カ月になっていないのに慌てて帰るのかと尋ねたが、曹長も知らないということだった。

プーパー隊長のことを訊いてみると、病院から戻ってきたその日、慌てて集落へ行ってきたかと思えば、そのまま姿も見せない、という。

……さては、喧嘩でもしたかな？

「先生！」

ビアンレーは小屋の前で大きな声を出して呼んだ。だが、声が返ってこなかったので、いつものごとく勝手に上がる。部屋の中は散乱していて、ティアンは床の上で膝を抱き、黙って座っていた。

村長はピントーを置く。そしてしゃがみ込み、痩せた肩を軽く叩いた。

「先生、ご飯を食べて下さい。まだ熱々ですよ」

「腹が減ってないです」

ティアンは、顔を膝に埋めたまま、もごもご答えた。

ビアンレーは長いため息をつき、横に腰を下ろした。身体の傷は手当てすれば治るが、さて、この心の傷はどうしたら治るものやら……。

「ヨート曹長から聞きました。先生は年が明けたら帰らなければならないそうですな……月日の過ぎるのは早いものです」

ティアンは唇をぐっと曲げる。今のこの一秒一瞬に頭の中をぐるぐる回っているのは、バンコクに帰らなければならないということではなく、あの人が、〝命令された〟からここで彼の世話をした、という事実だけだった。そのことを、あの人は一度も否定しなかったのだ。

これまでの全ての行為は、どれもこれも本物ではなかった。温もり、愛情……そうしたものに触れたような気がしたのに、本当はただの〝任務〟だった。

……くそ！　失恋よりきついじゃないか。

顔を上げ、あざになって膨れた目をさらす。訪ねてくれた人の方を向くと、心配そうな視線にぶつかった。ティアンは無理をして微笑んでみせる。

「本当は……僕は家出をしてきたんです」

ビアンレーは驚いて小さく目を見開いたが、努めて感情を抑えておく。そして相手が話を続けるのを待った。ティアンは視線をずらしていく。リュックの横に甘い色の日記帳が置かれていた。

「僕の父は陸軍の副司令官でした。定年で退任したばかりです。置き手紙をして家を出てきましたが、どうして誰も僕を捜しに来ないのかとずっと不思議に思っていました。ですが、実際には、僕は最初からずっと父の監視下にいたんです」

出会った最初の日のことを思い出す。あの夜、宿舎の前に、鬼の体躯の隊長は立っていた。ティアンの眼窩《がんか》が熱くなる。

獲得したのは自由なんかじゃなかったのだ。ただ、一時的な冒険を許されただけに過ぎなかった。

ティアンは喉の奥で小さく笑い声を立てた。可笑《おか》しな話だ、とでもいうように。……そう、限りない沈痛を伴う笑い話だ。

「大事件が起こって、〝彼〟はただ僕を送還せよという命令を受けただけでした」

ビアンレーは小さく息を呑んだ。〝彼〟が誰のことなのかは想像できた。先達として、二人のことは距離を置いて見守ってきた。表面的にはどんな大喧嘩をしていても、顔も合わせないほどいがみ合ったことなど一度もなかったのだ。それに、プーパー隊長は、ビアンレーが不思議に感じるほど熱心に、ティアンの世話をしていた。この親愛関係がただの任務で説明できるものだとはどうしても思えなかった。

「たとえ命令だったとしても、隊長はずっと先生のことを本当に心から気にかけておられましたよ」

だが、とティアンは思う。ビアンレーおじさんは、あの日の場面を見たわけじゃない。あの人の冷酷な声と虚ろな目が何よりの真実なのだ。

「彼の名前はもう聞きたくありません」

美しい一対の瞳に硬さが現れ、ビアンレーは一旦、折れることにした。

……もし相手に何も感じていないなら、こんなに怒りをあらわにすることはあるまい。

「分かりました。もう言いません」

ビアンレーは自分の顔をつるりと撫で、軽い世間話のように言う。

「先生は何日も籠っていらっしゃいましたから、集落で年忘れの宴があることはご存知ないでしょうな」

「宴？」

相手が自分の話に乗ってきたようなのを見て、ビアンレーはしめしめ、思った通りだ、とばかり畳みかける。

「本来、アカ族の新年祝いは、八月末から九月の初めに開かれる大ぶらんこ祭なのです。ですが、わしらの集落では独自に、一般の年越し時期に三日三晩のお祝いをしとります。一年中働きづめだった村人たちも農園の仕事を休めますから」

ビアンレーは、ピントーを寄せて蓋を開けた。

「家内は食事をうんと作って、集落の皆に振る舞うのですよ。でも、先生には特別に、お腹にやさしい料理も作る気でおります。先生はまだ本調子でなさそうだと言いまして」

ティアンは、豚ミンチの入った豆腐のスープと卵焼き、そして熱々の白米を見て、心にしみ入る思いがした。

「……本当にありがとうございます」

親切心にほろりとし、食欲はなかったが、ご飯を掬って口に入れ、無理して呑み込む。空っぽだった腹に食べ物が落ちると、胃袋が急に働き始め、ティアンは顔をしかめる。腹全体がきゅうと痛むかのようだ。

それでも自然の欲求には敵わず、彼は目の前のおかずに手を伸ばしてすっかり平らげる。ビアンレーは彼を集落の中央文化広場に誘い、皆で楽しもうと言う。

「時間は残り少ないのですから、先生は精一杯、価値のある時間を過ごして下さい」

その最後の一言で、ティアンは心を決めて立ち上がった。そして裏の水甕《みずがめ》で顔を洗い、頭をすっきりさせた。

歌声と、この土地独特の楽器の演奏が楽しげなリズムを振りまいている。文化広場は人で溢れ返っていた。年末年始、彼らは仕事を休み、一年を通して働きに働いた疲れを休め、思う存分に祝うのだ。

集落の若い女性たちは皆、精一杯、着飾っていた。帽子には美しい模様の金属の飾りが吊り下げられていて、彼女たちが歩くと、しゃりんしゃりんと可愛らしい素敵な音を立てた。女性たちは、調子を合わせて足踏みし、地方の踊りを可憐に踊り、周りでかけ声をかけながら飲み食いしている若者たちの心を楽しませていた。

アカ族の子どもたちも大勢で駆け回っていたが、ビアンレーの横にティアンが立っているのを見て、ぴたりと止まった。彼らは一斉に駆け寄ってきて、まだやつれた顔をしている細身の体を取り囲んだ。

「あっちに行きましょう。町の食べ物、とてもいっぱい」

ミージューが手を引っ張る。ティアンは引きずられて大きな床机《しょうぎ》のあるところへ来た。人がたくさん集まって立っている。

ティアンは、緑がかったカーキ色の迷彩服を着た男たちがそこに何人も交じっているのを見てどきっとする。が、よく見てみると、あの人は含まれてはいなかった。軍人たちは、スーパーマーケットで売っているようなスナック菓子や缶飲料を子どもたちに配っている。西暦の新年のお年玉代わりのようだった。

ミージューが炭酸飲料の赤い缶を差し出してきて、にっこりする。

「クレヨン兄さん、黒いジュースを飲みましょう。おいしい」

それから、他の小さな生徒たちもこぞって先生にお菓子を分けてくれる。

「……本当に、生徒に大人気だな」

耳元で聞き慣れた低い声がする。びっくりして振り向き、顔を見る。

「ドクター・ナーム！」

ワサン医師は眼鏡を直すと大きく微笑んだ。

「何驚いてるんだ？　それとも、別の人かと思った？」

「別に！」

ティアンは声を硬くしてしまう。コーラの缶を開け、ごくごくと飲んで気を静めた。

「それなら、まあいいが」

ワサン医師は信じていない顔で言いさす。それから真面目な顔つきになって続ける。

「ちょっと話せるか？」

ティアンはさっと顔を逸らした。

「もし、ドクターの親友の話でしたら、僕に話すことは何もないです」

「が、僕の方には……」

ワサン医師は細い手首を掴み、ぐいと引き寄せる。

「嫌というほどあるんだよ」

彼は語気を強め、炎のめらめら燃えている淡いブラウンの目を覗き込んだ。ワサン医師は返事を待たず、嫌がる相手を引きずって人混みを離れた。滝の方まで遠く連れてこられ、ティアンはむっとした顔をする。おまけに、ここへ着いてからもワサン医師はさっさと話を終わらせるのでもなく、木陰に座って冷たい水に足を浸してみようなどと言う。ティアンは、静かな滝壺に泳いでいる小さな魚たちを蹴散らして八つ当たりした。それから、我慢しきれずに隣の男に噛みつく。

「ドクター、話があるなら早く言って下さい」

「かっかしてるから、せっかく冷ましてやろうとしたのにな。こりゃ、効果なしか」

ワサン医師は大きな笑い声を上げる。相手が自分の頭をがぶりとやる機会を狙っていることなどお構いなしだ。

「分かったよ。が、本題に入る前にな、一つ聞かせてくれ。あの日、プーと何を喋って、こんな風にばらばらになってるんだ？」

「隊長が僕を家に追い返そうと」

「それだけ？」

「……隊長が言うには、僕が嘘をついたと。僕がここに来たことも、ただ面白がってだと。ここに暮らしているのも、ただの重荷だと。隊長はやりたくもない世話をしなくちゃならないと！」

ティアンは小さな石ころを拾って力の限り放り投げ、感情をぶちまけた。

「ずっと嘘をついていたのはどっちだ！　うろちょろしてたのも、正真正銘、僕の父親の差し金さ。すごい演技だったよ。あれはオスカー賞俳優だって敵わないね！」

「だな……。それで共演者も役に入り切って、今や飯も喉を通らず涙を呑む始末か」

ワサン医師の口調はゆるゆるとしていたが、その言葉で、ティアンは逸らしていた目をさっと戻した。ワサン医師は深く息を吸い、空を見上げた。小鳥が翼を羽ばたかせ、どこかへ飛び去っていった。

「……プーパー大尉は毅然とした男だ。いかなる問題でも一度決断したら、たとえ死ぬ目を見ても、一人で必ず引き受ける男だ。だからな、あいつがそういうシビアな手を選んだのだとしても僕は驚かない」

ワサン医師は目を静かにティアンの方へ戻した。

「仮に、僕が同じ立場だったとして、僕の一番大切な人に明るい未来があるとしたら、僕はどんな手を使ってでも、未来のある方へその人を行かせるだろう。無理に引き留めておくのは、ただのエゴイズムで、その人をむしろ傷つけることになる。住んでいる世界があまりに違い過ぎるんだよ」

一言一言がティアンの耳にははっきりと伝わり、重くのしかかった。ティアンはただ、滝の糸が水面に現れた石の上へ落ちるのを眺めた。長いことそうしていてから、ティアンはようやく口を開いた。

「普通にそう言ってくれればよかったのに。どうして、僕を……」

傷つけなければならなかったのだ。かれて乾いた声は喉の奥へ消えた。

「そうか。奴は自信があったんだな。もし普通に帰れと言ったら、ティアンは間違いなくここにずっといる。そうだろ？」

ワサン医師が続きを言った。ティアンは目を見開き、体じゅうを震わせる。心臓を貫かれて、押し込めておいた感情がだらだらと流れ出しているみたいに。

「違う……僕は……」

しどろもどろに否定しようとするが、その声は恐ろしく小さい。心を読んだ悪魔がにやりと冷酷に笑った。

ワサン医師は細い腕をがしっと掴む。

「プーの気持ち、つまり真実は、ティアンが一番知っている。奴が何と言って君を傷つけたか知らないが、気にするな。今頃、その言葉が自分にぐさっと跳ね返ってきて瀕死状態なんだからな」

「隊……長……が、何ですって？」

ティアンは、鬼軍人のことを心配しているとは認めたくはないながらも、尋ねてしまう。

「死人同然だ」

ワサン医師が言う。見たところ、至って真面目だ。

「もし、次に無頼漢との衝突があれば、奴は銃弾に飛び込んでいって戦場で名誉の殉職だ。間違いないと思うね。生きてたって、死んだも同然なんだからな。戦って死んじまった方が楽だ」

相手の目に怯えたような表情が浮かんだのをちらりと見て、ワサン医師はすかさず弱点に切り込んでいく。

「信じないなら、自分の目で確かめることを勧めるね。その上で、わだかまりにどうケリをつけるか決めればいい」

ティアンは何も言い返さなかった。頭の中を二つの相反する感情がごちゃまぜになってせめぎ合った。が、最終的に、ワサン医師に再び黙って引きずられていくことを自分に許した。今度の目的地は、約三キロ先のプラピルンの崖の基地だった。

軍用ジープが細い道を走っている。車内は全くの沈黙だ。運転席と助手席の二人とも何も喋らず、国境軍の基地までの十分か二十分は、最低の居心地の悪さだ。助手席のティアンは、延々と樹々が連なるだけの風景をただ真っすぐ見ている。

ティアンの心は、まだ揺れている。一方には、やはり会うのはやめておいた方がいいと思う気持ちがあり、もう一方には、それに異議を唱える自分がいる。なに、ただこっそり見るだけだ。立ち入って顔を合わせたりしない。何を恐れることがある、と。

「ティアンくん、番兵の検問だ」

ワサン医師が口を開き、静寂を破る。うわの空のティアンは飛び跳ねそうになる。

「……はい」

ティアンは慌てて番兵の方へ顔を向けた。

ＡＫ47に弾丸を装填した迷彩服の軍人が訪問者の顔を見て、車内に目を走らせる。武器や危険物を所持していないことを確かめると、基地専属の軍医に敬礼し、車を通過させた。ワサン医師は保管庫にジープを停め、ティアンを伴って基地の中を歩く。

中隊長の宿舎は最も奥まった位置にあった。表の方では、厨房や武器倉庫を絶えず出入りする軍人の姿が見受けられたが、こちらは、かなりひっそりしている。夕刻の太陽が山際一帯を美しい色に染め、目の前の小さな木製の高床住居の影を黒く長く伸ばしていた。山頂から吹き下ろす冷たい風は、Ｔシャツにジャケットを羽織っただけの細い身体をすっかり震わせた。

「送るのはここまでだ。今頃プーの野郎、ベッドでぼーっと寝てるさ」

ワサン医師は言う。ティアンは家へ上る梯子段の近くに黙って立っている。

「ここで待っててくれてもいいです。上でちょっと覗いたら、帰りますから」

「いや、長くなりそうだ。厨房の辺りで待ってるよ」

ワサン医師は含みのある笑みを浮かべ、さっさと回れ右をして、ティアンが呼びかけるよりも先に出て行ってしまう。

本当に人の話を聞かないんだから……。ティアンはむしゃくしゃと地面を蹴りつけたい気分になった。仕方なく目の前の家を見上げる。気が重い。しばらく躊躇していたが、顔をこすっていつもの強気な自分を呼び起こす。さあ！　こっそり覗くだけだ。死ぬわけじゃない。

ティアンは猫のような忍び足で木の梯子段を上まで上り、扉のところで身を低く縮めた。運良くそれは完全には閉まっていなかった。指で扉を押し、隙間ができる程度に開く。そして身を小さく潜め、まず内部の様子を窺った。

視線を走らせていくと、大きな長身の男にぶつかった。プーパー隊長は小さな折り畳みベッドに腰かけている。その前の台には、豚ミンチを入れた熱そうな粥が置いてあった。病人用の夕食だ。プーパーの頬骨と顎骨はくっきり浮かび上がり、会ったのはほんの数日前のことなのに、その時よりずっとやつれて見える。

鋭かった目は深く落ち窪み、生気の光が全く残っていない。ぼんやりと漂うように、木の壁を黙って見ている。かろうじて使える左手が動き、匙《さじ》を掴む。そして柔らかい粥を掬い、持ち上げる。まるで、食べなければならないというプログラムがインプットされたロボットのようだ。だが、その熱い粥を載せたステンレスの匙は口元に運ばれた途端手を離れて台の上に滑り落ち、かしゃんと音を立てる。

覗き見ている方は、痛々しさに思わず口を手で覆う。が、中の人は特に関心もなさそうに、ただ匙の落ちた方へ目を向けただけだった。自分の唇が熱いもので火傷して赤くなっているのさえ、どうでもよさそうだった。

心身ともに病人となってしまったようだった。プーパーは、落ちた匙を拾い上げようとした。だが、その時、叩きつけるように誰かが扉を開けた音が耳に入り、彼は動きを止めた。

もう何日も見ていなかった、ティアンのすらりと細い身体が音を立てて入ってくる。粥の付着した匙が目の前で奪い取られた。ティアンは折り畳みベッドの横に寄り添うように座り、丼の中の熱い食べ物を掬い上げ、そっと息を吹きかける。

プーパーは美しい切れ長の目をじっと見る。唇に匙を当てられたまま、ティアンを凝視し、一分も過ぎた頃、ようやく口を開き、おとなしくされるがままになる。ティアンは、再び粥を掬い、息を吹きかける。プーパーは、困惑したような嬉しいような気持ちで何も言わずにそれを見つめた。だが、その相手が〝誰か〟の役を演じているのだということを思い出した時、心は、突然、張り裂けるように痛んだ。

……一度死にかけて奇跡的によみがえったという人の心がひどく揺れ動くのは、不思議なことじゃない。しかも、別の誰かに臓器を提供されて生き延びた人間ならば、その動揺はなおさらだと、プーパーは思う。普通、そのような手術で提供者の身元は明かされないが、どうやって調べたのかまでは、プーパーには全く分からなかった。

臓器の元の持ち主の日記帳には、様々な出来事が書かれていて、それを読んだ前途ある一人の青年が罪の意識を覚えた。そして、快適な暮らしを捨て、困難を覚悟でこの辺境の地へやって来た。

〝彼〟は〝誰か〟の代わりの人生を生きようとしている。真実の思いはそれに呑み込まれ、一体化してしまっているだけだ……。

それがプーパーを死ぬほど苦しめている理由だった。まるで、これまで、ティアンという人間の実体と心には全く触れていなかったような気さえするのだ。

ティアンが匙を持つ手を止めた。隊長の厚い唇はきつく結ばれ、もう開こうとしない。ただ静かに自分を見つめているだけの隊長に目をやり、ティアンはきまりが悪くなって匙を置いた。

「……僕だって、お節介を焼くつもりはなかったんだ。でも、僕を助けたせいであなたが怪我をして、それだから、ただの恩返しだ」

ティアンは硬い声で言った。だが、こんなふてくされた態度をとったのに、隊長は銅像のように座ったまま何の反応もない。しまいにティアンの方が怒り出してしまう。

「隊長。死ぬほど落ち込むのはこっちの方だ。誰かに追い返されるのみならず、これまでずっと家の人間に見張られていた事実まで知らされたんだからな」

「そうだな……」

プーパーが乾いた声でようやく言う。

「君は、失望したかもしれないが、心を失うほど傷ついてはいないだろうな」

美しい眉が寄る。ティアンは、激しい怒りで顔を歪めた。

「好きなだけ皮肉ればいい。僕の考えなんて、あなたに何が分かるもんか！」

隊長の唇の端に薄笑いが浮かんだ。だが、傍の人へ向けられた目には冷たい虚無しかない。

「そうだ。私は何も分からなかった」

ティアンはきつく拳を握り、心を静めようと努める。今、命を救ってくれた恩返しに来たと宣言したばかりではないか。喧嘩しに来たんじゃない。そう考え、彼はすぐに話を打ち切った。

「続けて食べたらいい。手伝うから」

だが、匙を取ろうとすると、相手は首を振って断った。

「……構わない。もう満腹だ」

「なんて強情なんだ。それでいつ傷が治るというんだ」

厚い唇にゆっくりと笑みの形が浮かぶ。が、それはただの自嘲に過ぎない。

「治らないよ、ティアン。永久に」

それが何の傷のことを言っているのかはよく分かった。だが、そんな言葉を聞くと、崖の巌《いわお》と同じくらい強かったこの人が、ゆっくりとひび割れながら崩れていくように感じられ、無数のナイフに突き刺されたかのように心が痛んだ。

……もう、我慢ならない。

ティアンは折り畳みベッドに張られたキャンバス地を思い切り叩き、抑えていたありとあらゆる感情をぶちまける。

「あなたがそうやって僕に突っかかるからこうなるんだ。どうして普通に話せないんだ。僕がいつかいなくなることは、あなたにだって分かっていたくせに。僕はただ、いい思い出を残したかっただけなのに」

溢れ出した熱い涙に濡れてきらきら光るティアンの瞳が、プーパーのそれと重なり合った。

「……特に、あなたと」

プーパーは一瞬、動けなくなってしまう。それから、使える方の手を持ち上げ、透明で滑らかな顔に手のひらを重ねる。ざらりとがさついた親指が目の端の滴をなぞる。国境の一軍人に過ぎない自分にできる範囲の一番の優しさを込めて。

「悪かった」

プーパーが低い声で言う。

「私は驚いただけだ……」

「驚いた……って、僕がトーファン先生の臓器提供を受けたということに？」

「どちらかといえば、君がトーファンの日記を肌身離さず持っていたことに」

「間違ったことだとは知ってるって」

ティアンは慌てて言い訳する。

「ドナーが誰だったかなんて調べるべきじゃない」

プーパーは手を滑らせ、形の良い頭を撫でる。それを覆うさらさらの柔らかな髪は長くなり始めていて、頬で揺れる。プーパーは言う。

「まあいい。ただ一つだけ、今後は、君は誰かの代わりに生きるのはやめてほしい」

ティアンは目を丸くした。瞬時、呼吸が止まって頭が真っ白になる。確かに、あのノートを何度も何度も読み返し、それで村人たちの善意を知り、小さな生徒たちの敬いの心を知り、そして鬼のような体躯の軍人のことを知ってから、ここに来た。

……つまり、この離れがたい気持ちはトーファンの感情なのだと、そういうことになるのか？

ティアンの意識は混乱する。乾いたはずの涙が再び溢れ、青ざめた顔の上でダムが決壊したかのように流れ出す。

あれはトーファン・チャルーンポン、美しい心を持ったボランティア教師の人生だ。このティアン・ソーパーディッサクンの人生はろくでなしのドラ息子で、本当に自分のものだと思えるものに出会ったこともなくて、それは、ここに寄り添っている人でさえそうなんだろうか。

「そんな……嘘だ……」

ティアンは戸惑ったように呟く。しゃくり上げる強さで身体じゅうが震える。そんな事実は受け入れられるわけがない。

プーパーが目を閉じる。心臓は見えない手で握り潰されていて、もう崩壊しかけている。できれば、こんな痛みは一人で受け止めておきたかった。が、そうしてしまったら、ティアンはこの先彼女の呪縛から逃れることができない。

……たとえ死ぬほどの痛みでも、それは終わらせなければ。

プーパーは、目をこすって真っ赤にしている細い手を取り除いてやり、自分が優しくその涙を拭ってやった。

「身体と心臓が二つに分かれている気がしていたんだ」

　ティアンはかれ切った声で言う。

「……これからどうすればいいのか分からない」

「ただ、初めの地点に帰ればいい。よく考えるんだ。君がここに何のために来たのかを」

　ティアンは黙る。ばらばらになった思考を並べてまとめ直す。最終的な答えはこうだった。

「僕はトーファンの最後の願いを叶えるよ……大晦日の夜の星に願いをかけて、あの崖で、あなたに恋を告白するんだ」

　プーパーは息を深く吸い込んだ。この夢も、とうとう結末に近づき始めている。

「知ってるか？　パンダーオの崖の〝パン〟は、タイ語の〝分ける〟の意味じゃない。この北の地にかつて存在したラーンナー王国の言葉で、数の〝千〟という意味なんだ」

「パンダーオ……千の星の崖」

　ティアンは繰り返す。なんて力強い名前なんだろう。

「言い伝えによると、この崖に立って、夜空の星を千まで数えることができたら、願いが叶うそうだ」

　ティアンの半分開いた薄い唇は、長いことその形を留め、ようやく小さな声が漏れ出す。

「……もし、僕にそれができたら、〝奇跡〟は起こるかい？」

　プーパーはぎこちない小さな笑みを作った。やつれ切った顔には悲しい諦めの跡が刻まれている。

「知らん。今の今まで誰もやり遂げた奴はいないからな」

ビアンレーの息子ローンテーは、正月休みで帰省していた。そして、死闘を共にした先輩格の友人を訪ねようと、集落の外れのちっぽけな小屋へ来た。大声でずいぶん長いこと呼ぶが、返事がない。それで、中央文化広場に寄ってみることにする。集落の皆や近隣の人々が集まって、大人にお決まりの酒宴を繰り広げているからだ。

ローンテーは一帯を探してみたが、やはり見当たらない。広場にいた人たちにボランティア教師がどこへ行ったか知らないか訊いてみる。すると、まだ午前のうちから集落の北方向へ歩いていくのを見たという人がいた。

北？　滝へ行ったんだろうか……。

ローンテーは、Tシャツにジーンズという町の人の格好のまま、次の目的地を目指す。もしこれで会えなかったら、教師宿舎に戻って待つつもりだった。父から、年が明けたらティアン先生は帰ってしまうのだと聞いた時、なぜか心が締めつけられた。行き当たりばったりでリスキーなことばかりする人だけれど、実のある得がたい人だった。

滝壺を叩く水の音がいつものように響いてくる。ローンテーは辺りを見回した。果たして、尋ね人は渓流の縁に膝を抱えて座り、小石を水面に投げていた。なんだか意気消沈した様子だ。ローンテーは近寄って話しかける。

「ティアンさん、良くなられたんですか。こんなに遠くまで」

ティアンは寝不足で目の落ち窪んだ顔を上げ、そこに立っている人を仰いだ。

「……休暇かい？」

「はい」

ローンテーはその隣へ当たり前のように胡座《あぐら》をかく。

「元気がなさそうですね。バンコクへ帰りたくないのですか？」

「最初はそうだった。が、今はとても帰りたい」

「そんなこと……。さては、誰かに意地悪でもされたんでしょう」

ローンテーはわざとからかってみる。が、ティアンの悲しそうな表情を見て、すぐに黙ってしまった。どう慰めていいのか見当もつかず、恐る恐るそちらに目をやる。

「もし気を許してくれるなら……何か問題があれば、僕に言って下さいね」

ティアンは手を伸ばし、分厚い肩を二、三回叩く。

「大したことじゃない。自分が自分じゃないような気がしていただけだ」

「ティアンさんはティアンさんですよ。そうじゃなければ、誰なんです？」

村長の息子は天真爛漫に答える。が、隣に座っていた人は考え込んでしまった。

「……例えば、の話だ」

ティアンは小さく口を開く。

「例えば、自分が他人と心臓を交換したとする。そしてその心臓がたまたまある記憶を潜めていたとする。そしたら、自分はそいつの記憶に乗っ取られはしないか?」

ローンテーはぽかんとする。が、すぐにこらえきれず笑い出す。

「それ、SF映画の脚本ですか? 考えてもみて下さい。心臓に記憶があるわけないじゃないですか。ただの一臓器ですよ。もう一人の人になり変わるなんて、あり得ないです」

「あり得ないか……」

こうして彼の手術のことを露も知らない第三者の意見を聞いてみると、何かが明らかになってくるような気がする。

これまで、自分はあの女性のことを意識し過ぎていた気がする。が、彼女はただの死者ですでにホトケに……仏……南無三!

最初から考えてみよう。怖いもの見たさで真相を手に入れたのは、自分だ。そして、この遥かな国境までやって来ることを決断したのも、自分自身だ。

もし、知ってしまった物事について何もしようとはせず、流れに任せていたのなら、今頃、ソーパーディッサクン家の末の令息であるこの僕は、どこかで最高級のイタリアンでも食べているか、都心のデパートでブランドものでも買い漁っていたことだろう。

そして、こんな風に、善意溢れる人たちと知り合うことも全くなかったはずなのだ。

いきなり、ティアンは大きな笑みを広げる。それを見たローンテーは、また不吉なことでも起こらないかとぞっと身の毛がよだってしまう。

「ティアンさん……大丈夫ですよね？」

「いや、どうもありがとう」

「は……⁉」

ローンテーは思わず大声になる。都会人の感情の起伏には、とても付いていけそうにない。

「日差しが出てきた。もう行くぞ」

ティアンは我関せず、さっさと話を打ち切り、集落に帰るという。

ローンテーは頷き、立ち上がろうとして、ふと思い出した。

「……言い忘れてました。午後一時くらいにティアンさんに学校に寄ってもらうよう、父から言付かってたんです」

ティアンは腕時計を見る。あと半時間で一時じゃないか。そこで、連れにも一緒に学校へ行こうと誘う。

「村長が行けと言った理由は、お前、知ってるか？」

「おそらく、財団からの教材が届いたんじゃないでしょうか」と言うなり、ローンテーは先へ歩いていってしまう。残されたティアンは突っ立ったまま、そんなわけあるかと頭をかく。

郵便局が公休日に仕事するか？　いつからそんな働き者になったんだ。

崖の上の学校は完工し、あとは燃やされてしまった黒板や教科書、教材が届くのを待つばかりだった。近くまで来ると、子どもたちがきゃっきゃと笑う声や、ばたばたと走り回る音が聞こえてきた。ティアンは学校の正面まで来たところで目を見張り、息を呑んだ。

Ａ４サイズの用紙を粘着テープで繋ぎ合わせた横断幕がテラスの庇《ひさし》に掲げられていた。油性ペンで英語が書かれ、クレヨンで色が塗られている。各々ずいぶん好き勝手に書いたものだが、合わせて読むと、こんな言葉になっていた。

〝ＨＡＰＰＹ　ＮＥＷ　ＹＥＡＲ〟

走り回っていた小さな生徒たちの集団がティアンの腰に飛びついてきた。皆、可愛い声を張り上げ、タイ語で「明けましておめでとう」と言い合う。発音がいいとは言えなかったが、どの声もティアンの心に響くものだった。

ティアンは、ビアンレーとその息子が揃ってにこにこ立っている方を見る。誰が発案者かは想像に難くない。ローンテーが何かを言ってくる。声はほとんど聞き取れなかったが、口の動きでこう言っているのだと分かった……サプライズ！

ティアンは照れ隠しに睨み返してみせる。アカ族の兄妹、アーイとミージューが先生の手を引っ張ってテーブル代わりの茣蓙《ござ》のところへ連れていく。そこには様々な駄菓子が山と積まれていた。クッキーに、色とりどりのジュース。彼はふと小学校の頃の新年パーティーを思い出す。

「クレヨン兄さん。あれもあるね」

大きなお菓子を見て、ミージューはとても嬉しそうだ。チョコレートクリームが塗られ、ストロベリージャムが真ん中にトッピングしてある。

ティアンはその無邪気さに思わず微笑み、教える。

「……あれは、ケーキ、という。英語の書き方は、C、A、K、E」

生徒たちは声を合わせて発音を繰り返す。先生は胸がいっぱいになる。子どもたちにお菓子を食べていいよと促すと、たちまち大騒ぎとなった。ティアンはその場を離れ、あとの二人が立っているところへ来る。

「ティアンさん、気に入ってくれました？　昨日、父が町に下りたんですけど、パーティーのお菓子とケーキを買うから連れて行け、と脅されまして」

ローンテーは、このささやかで、そして限りなく温かいパーティーの経緯を明かした。

「先生が沈んでおられるようなのを見まして、思いついたのです。都会の人は年末には宴会をするのでしょう？　わしらのような田舎者には、これくらいしかできませんがの」

ビアンレーはそう言い、感謝の合掌をしたティアンに急いで返礼の手を合わせた。

「村長、本当にありがとうございます」

値段が高いとか安いとかは関係ない。大事なのは一生懸命やってくれたかどうかだ。

「本当に、僕の人生で一番感動したパーティーです」

嘘ではなかった。どんな五つ星ホテルのパーティー料理も、こんな風にティアンの心までは満たしてくれない。

ティアンはしゃがんで大きな包丁を使い、チョコレートケーキを切り分ける。その周りに、生徒たちが目をきらきらさせて集まっている。フォークがなかったので、皆、手掴みでそれを食べた。ばい菌なんか恐れない。

ティアンも菓子を齧る。味は普通だが、これほど心を幸せにしてくれるものはない。横で呑気にジュースなんぞ啜っている弟分をちらりと見て、ちょっと生意気だぞと思い、咳払いしてこちらに注意を促す。

「お前、知ってるか？　都会のこういうパーティーにはな、ちょっとしたお約束があるんだよ……」

「どんなことですか？」

ローンテーが知りたそうに尋ねてきた。

獲物がひっかかったぞ……と、ティアンはにんまりし、「こんなことだ！」と、皿にこびりついていた茶色のクリームを弟分の頬にべったりとなすりつけ、大笑いする。

ローンテーは、びっくりしたように固まる。これはお約束なんかじゃ全然なくて、個人的な仕返しじゃないか。

子どもたちが見て、わっと駆け寄ってくると先生にも同じことをやる。

「何をする！」

ティアンはぱっと飛び上がると、小さな生徒たちを捕まえに走る。

ほんの小さな学校に高らかな笑い声が満ち溢れた。このケーキなすりつけ戦争、遠巻きに見ていたカマーのビアンレーまで流れ弾を浴びてしまった。

透明ですべすべのハンサム顔は、クリームまみれになってもなお大きな微笑みを広げている。この先はもう、アカ族の子たちとこんな風に遊んだりできなくなるのだから、思い出をできる限り集めておきたかった。別れた後の月日の中で、いつか、懐かしく思い出せるように。

だが……別れの言葉は遂に口から出すことはできなかった。


小さな教師宿舎の中に、ハリケーンランタンのほのかな光が灯っている。縁側や窓枠にいつも干されていた衣類は、もうない。床の上に積み上げられていた服もすっかり消えている。高価なリュックはぎゅうぎゅう詰めだ。まるで、ここに着いたあの日のように。

家の真ん中には、裾を上げた四角い蚊帳《かや》が一つ浮いている。その下では、すらりと細い身体がうつ伏せになり、古ぼけたマットレスに肘をついて、一冊の日記を真剣に読んでいた。

〈……ここへ来てから、私には、山の先生になりたいという夢の他にもう一つの夢ができた。私の〝王子様〟に出会って、色のなかった世界はすっかり変わった。彼は温かく、とても良い人だったけれど、ちょっとしかめ面ばかりしているところがある。でも、だからといって、紳

士らしさが損なわれることはなかった〉
〝紳士〟という言葉が、可笑しくて笑ってしまう。
〈……ある日、タイ語を少し話せる村人から聞いたことには、深夜、集落の高い崖に立って星々に願い事をすると、その願いが叶うという。信じられないことだけれど、私のような望みのない者にとって、他にどうすることができるだろう。大晦日の夜、何百何千という満天の星々の中、王子様に恋を告白することができたら、なんてロマンチックなことだろう。
私は決めている。慢性アルコール中毒の父を見舞いにバンコクへ行ってきた後、この馬鹿げたことをしてみようと。〝愛する王子様〟、待っていて下さいね〉
そして、インクの文字はここで切れる……永遠に。
彼女はちょっと誤解をしているようだ。ただ星に願い事をするのではだめで、星を千個数えなければならない。このことをローンテーに訊いてみたところ、彼は笑い声を立ててから答えた。いわく、きっと子ども騙しの作り話で、この崖の夜景の美しさを眺めてもらうのが目的なのだろうと。例えば、商品ブランドを宣伝する時、〝いわれ〟を作って興味を惹かせるみたいに。
話が子ども騙しなのか事実なのかは、どうでもいい。ティアンがトーファンに共感するところは唯一、望みのない者、という点だ。望みのない者は往々にして奇跡を求める。ティアンはゆっくりと手の中の日記帳を閉じた。今夜は静まり返っていて、もの寂しい。コオロギまでもが声を潜めている。

ティアンは家鴨《あひる》の羽毛のダウンジャケットを掴むと、膝をついてランタンを消した。辺りは真っ暗闇だ。マットレスの脇に置いてあった懐中電灯を手に取り、小屋の梯子段を下りていく。集落の中の道は所々を松明《たいまつ》が照らしているが、そこを抜けてしまうと懐中電灯に頼るしかない。

ティアンは、パンダーオの崖には、あまり登ったことがなかった。だが子どもたちを連れて遊びに行ったことはあり、ルートは大体覚えている。茶畑の脇を歩いて東の方向へ登ると丘があり、そこから上方の崖に行かれるのだ。

周りは森だが、特に恐ろしいこともない。この辺りは大木はまばらだから、そんなに鬱蒼《うっそう》としているわけではない。それに木犀《もくせい》の香りが一帯に漂って、爽やかな心地にさえなる。

時刻はちょうど十一時半。彼は約束の時間より前に着いておくつもりだった。星を千個数える時間が欲しいから。大して難しい数にも思えないが、油断はならない。簡単にできるものなら、とっくに達成した奴がいるはずだ。

樹々の間の道を抜けると、広々とした高台に出た。ティアンは一瞬足を止め、それから高台の真ん中へ駆け出していく。体ごと仰ぎ見るような姿勢で、輝く星々の光の波を驚愕の思いで眺める。今夜は、星の光を遮る月影さえなかった。

これが、星の海というものか……。

が、その時ティアンの胸の中で心臓が早鐘を打つ。戦慄に似た何かが走り、手足から力が抜けた。星々は、それは華麗に美しかった。国指定の景勝地にするべきほどだ。しかし、あまりにひしめき合っていて、どちらを見上げてもきらめく光があるばかりだ。どれがどの星なのか区別できないくらいに。

ティアンはひとまず俯く。目を地面に向け、息を吸って、士気を高める。そして再び天空を見上げ、指で星を一つずつ数え始めた。……百、二百、三百。もう目が回ってきそうだ。

どくどくと痛み始める瞼に手を当ててマッサージし、場所を移動する。こちら側の方が星々が拡散しているように見える。

普通に数えるのをやめ、エリアごとに分割することにする。が、この崖があまりに高いせいで、手の届きそうなくらいに夜空が低く見え、何万、何十万と輝く星の光はいつもよりずっと強く明るい。それで目を凝らして長く見つめていると、反射のためにぼやけてきてしまい、光にやられてしまう。

ぶんぶんと頭を振る。頭痛がしてきて吐きそうだ。ティアンは座り込んで顔を下ろし、闇の中で静かに目を休めた。最初の決意が失せ始める。星を五百個も数えるとその星々の海がただの真っ白な光の塊になってしまい、目が痛くてたまらなくなるからだ。

ティアンは地面に拳を打ちつけ、気を静める。

「くそ！」

たった千……。千を数えればいいだけなのだ。こんな簡単なことをこのティアン・ソーパーディッサクンができないとは、あり得ていいはずがない。ティアンは深く息を吸い、魂を呼び戻し、意志を固めて立ち上がった。

現実はいつだって残酷なものだ。気力だけでは立ち向かえない。

今度は、別の方法を導入する。方角ごとに見ることにし、目が疲れるまで数えたら、別の方角を向いて数える。そうすれば、同じ星を重複することもない。

脳裏をふと過ったのは、今やっていることがなんて愚かしく、無意味なものかという考えだったが、意地っ張りの負けず嫌い精神は、失敗する度にグラフ上を右肩上がりに上昇してしまう。

だが、この方法は一番うまくいった。数えられた星の数は前よりも増え、現在、八百を超えた。体の向きを別の方角に変え、天空を指さしてカウントを続ける。しめしめ……。だが、そう長く無理ができるものでもない。

上方の光がもろくか弱い眼球をすっかり痛めつけ、頭の中が回って、俯いて吐いてしまいたい気分になる。が、歯を食いしばって続ける。

「九百五十五、九百五十六……」

別の方角へ回った時、ティアンの身体がよろめいた。前方の景色はほとんど消え失せ、真っ白になっている。あと残りほんのちょっとだけだ。手で自分の頬を叩いて気を確かにすると、指を持ち上げ、再び数え出そうとした。ところが、すでに数えていた星の分け目がどこだったか、頭から消えてしまっている。

何十万という星々が全部集まってきてうねりとなり、夜空一面を光り輝いているかのようだ。ティアンは、荒い息をはあはあと吐く。成功は手の届くところまで来ていたのに！　彼は我を失ったように笑い声を上げた。ぶるぶると震える指はなおも空を指し、数え続けている。もう全てが崩れ去った後だとはよく分かっているのに。

「……九百九十七、九百九十八」

淡いブラウンの瞳はもう虚ろだ。湧き上がる涙が眼球を覆い、もうどこにも焦点なんか合っていない。それなのに、ティアンは、その場を一歩も動かず立ち続けている。

「九百九十九」

その時ふっと全てが暗闇に覆われた。大きな手のひらの温もりが両の瞼に触れ、鼻の奥まで熱を帯びてくる。懐かしい声が、耳元を慰撫《いぶ》するように優しく囁《ささや》く。

「もういい」

背に寄り添うように、プーパー隊長が立っていた。それはあたかも吹きすさぶ寒風から彼を守る鎧のようだった。ティアンの目から失望と悔しさの涙がとめどなく流れ、ざらざらとした手をひどく濡らした。

「これで最後だったのに。僕はできなかった」

ティアンは唇を噛む。が、血が滲むまで噛んでも、啜り上げる声を抑えることはできなかった。

……たとえ成功していたとしても、願いが叶う日は来ないというのに。

プーパーの目が悲しく光る。彼は小さな声で言う。

「君はよくやった」

「僕はトーファンのためにやったんじゃない。彼女は亡くなったんだ！」

ティアンは大声で叫び、森の全てと、そしてここに寄り添っている人へ宣言する。

「僕は自分のためにやったんだ……」

ティアンは身体ごと向き直り、プーパーの目を見つめた。その顔は、涙に濡れていてもなお、強く激しく見えた。

「僕はここを離れたくない。あなたから離れたくない」

プーパーは言葉を返そうとしたが、その瞬間、動けなくなってしまう。ティアンがさっと爪先で立ち、唇を合わせていた。繊細な薄い唇に力強い軍人が絡めとられている。それは強く確かな告白だった。ずっとそうしていてから、人を翻弄してやまないお坊ちゃんの唇は、そっと離れた。細い腕が頑丈な首に絡み、そして頭が厚い肩の上に置かれた。

「始まりがトーファンだったとしても……この気持ちは、全部僕のものだ」

むせび泣きの混じった声はくぐもって響いたが、心の傷を癒す圧倒的な魔法のように流れ込んできた。プーパーは、動かすことのできる片方の腕だけを細く薄い身体へ回し、きつく抱きしめた。そして顔を下向け、壊れやすいものを扱うように、鼻先を香りのいい柔らかな髪に触れさせて言った。

「これが私の気持ちだ」

……君を心で守りたい。

ティアンは涙を浮かべたまま、にっこり微笑む。ずっと追い求めてきた幸せだというのにどうしてこうも儚《はかな》いのだろう。このまま時間を止めてしまいたかった。あらゆる決まりも理性も捨て去って誰のことも気にせずに生きたかった。彼は迷彩服の上着を皺《しわ》になるまで固く握る。

こうして思っていることが決して叶わないものなのだとは、よく分かっていた。

「僕がいなくなったら、あなたは僕のことを忘れるかな」

「決して忘れない。絶対に、一瞬たりとも」

プーパーは自分の頬を滑らかな額に寄せ、目を閉じて互いの気持ちの全てを吸い込んでいく。彼が次の言葉を発する決意をするまでには限りなく長い時間を要した。

「……だが、君は帰ったら、私のことは忘れてくれ」

それを聞いたティアンは目を大きく開き、弾けるように体を離す。

「どうしてそんなことを！」

「人はたくさんいる。社会的地位の変わらない、君に見合う相手が」

プーパーは微笑んでみせるが、その目は晴れてはいない。彼は天空を指さして言う。

「……この星々が見えるか？　崖山がどんなに高く聳《そび》えていたとしても、空の端にさえ届かない。こんな私が君に手を伸ばして届くわけはないだろう」

ティアンは黙って立っている。どんな言葉も喉に詰まってしまって出てこない。こんなに足《あ》掻《が》いてもがいて死の淵から這い出すことができたというのに、この瞬間、彼は敗北するしかなかった。かつて暴走ギャングとして街を騒がせた不良が、今は誰の目も気にすることなく目をこすりながらおいおい泣いている。この気持ちを蹴飛ばしてどうにかなるものなら、とっくにやっているのだ。

「僕があなたを忘れるなんてあり得ない。絶対にあり得ない！」

プーパーは首を横に振る。やれやれと思いながら、愛しく感じている。左の腕で綺麗な形の頭を抱き寄せ、額の上にキスする。前にしたように、強情な子どもをなだめるように。滴に濡れた鋭い瞳がゆっくりと閉じる。厚い唇が形をなし、そして震え、声になる。

「……時がきっと証明してくれるだろう」

ティアンは大きな身体をきつく抱きしめることで答える。プーパーは思う。たとえこの夜の寒さにどんなに凍えても、二人を包む思いの深さは心を熱く温めてくれることだろう。

もしも二人の〝愛〟が遥かその日まで続くのなら……。

だが、私にはここで君を待つことしかできないんだ。

夜明けとはなんて早いものなのだろう。まるでほんの一瞬、目を閉じただけのようなのに、もう現実の世界の中に覚醒している。夢は、もう終わった。そう認めなければならないのが現実だ。ティアンは甘い色の日記帳をゆっくりとリュックに入れ、ジッパーをきつく引いて全ての思い出を閉じ込めた。深く息を吸い込み、三カ月近くも寝起きしてきて愛着のわいた小さな小屋を振り返る。

「ティアンさん。お迎えの方が来られましたよ」

ローンテーの大きな声で、我に返った。リュックの紐を掴み、扉の外へ出る。

朝の涼風がそよそよと吹き、鶏の声がどこか遠くで時を告げていた。アカ族の父子は少し離れたところに立ち、いつもと同じ親しみを込めた笑顔を浮かべてティアンを待ってくれている。こんなにけがれのない微笑みは、もう見られないのだと思うと心が締めつけられた。

「ヨート曹長がもう来てるのか？」

ティアンはローンテーに尋ねる。ビアンレーの話では、町の停車場まで送るためにヨート曹長がジープを用意しているということだった。

「曹長はいらしてません。別の方が来られています」

〝別の方〟という言葉に心臓が早鐘を打つ。まさか……？

が、後から現れたのは、意外な人物だった。ティアンは驚きの声を上げる。

「テー兄さん！」

　未来の医者が腕を大きく広げ、走り寄ってきた弟同然の人を子どものように抱きしめる。そして、悪い子め、というように形のいい頭をかき回す。

「やってくれたよなあ。誰にも何も言わずに逃げ出すとは。家の人たちがどれだけ大騒ぎしていたか分かるかい？」

「悪かったよ。他の手は本当に思いつかなかったんだ」

　ティアンは体を離し、首筋をぽりぽりかく。遠慮なんてものは中学の頃からしたこともない関係なのに、これだけ長く離れていると、どう接していいのか困ってしまう。

「……ところで、よく来れたね。わざわざ僕を迎えに？」

「話を聞いて、休暇をもらったんだ。父さんの部下の人が車でここまで来てくれた」

「そんな大変なことする必要なかったのに」

　ほんの社交辞令の短い返事だったが、ティアン・ソーパーディッサクンを生まれた時から知り尽くしているテーチンは、言葉が出ない思いだった。彼は優しく微笑む。

「オレが来たかったんだよ。大変なことなんかなかったさ」

「嘘つけ。目が死んでパンダみたくなってるぞ」

　ティアンは、肩をすくめて歩き出す。

「帰りがけに町に寄ってご飯でも食べよう」

テーチンはまたも驚き、不思議に思いながら、前を歩く痩せた背中を見つめた。見かけからは分からないが、ティアンの内面の何かが明らかに変化している。テーチンはアカ族の村長と息子の方へ向き直り、タイ式の合掌をして挨拶した。

「彼がここにいる間は本当にお世話になりまして、ありがとうございました」

「お礼を言うのはこちらの方ですよ。先生がいらっしゃるのを許して下さいまして」

カマーのビアンレーはさすがにそつがない。

「この二カ月と少し、ティアン先生は本当によく尽くして下さいました」

テーチンは頷いておく。本当のことをいえば、この贅沢者のお坊ちゃんが不便な生活をしているところや、早起きして山の子たちにものを教えているところなんて微塵も目に浮かばなかったのだが。

集落から幹線道路へ出る下り坂まで、皆でぞろぞろと歩いた。車はそこに停めてある。ティアンは集落の二人へ別れを告げる。

「ビアンレーおじさん、ローンテー。もう行きますね……。皆さんや子どもたちによろしくお伝え下さい。機会があれば、また会いましょう」

「ティアンさん、さよならは自分で言った方がいいですよ」

生意気な口を利くローンテーに、場もわきまえずどやしつけてやろうと向き直ったその時、たくさんの小さな高い声が重なって聞こえた。

「クレヨン兄さーん！」

ティアンはびっくりして、肩から下ろしかけたリュックを取り落とした。それから、かがんで小さな生徒たちの頭を撫で回す。皆、好き勝手に泣いたり絡みついてきたり騒がしい。村人たちも周りに立ち、帰っていくボランティア先生を見送ってくれる。意味の分からない土地の言葉だが、心で触れることのできる言葉だ。

さよなら。また会いましょう……。

テーチンは息を呑んで見つめた。限りなく我儘だったティアンがわんわん泣く女児をなだめながら、もう一方の手で他の子どもたちの頭を撫でている。言葉にならない思いが溢れてきて、テーチンは目元を熱くした。

ティアンの変容はちょっとやそっとじゃない。これはもう別人だ！　と、思わず携帯電話を取り出し、この感動的なシーンを写真に収めた。ティアンがこの先どんな将来を歩むとしても、この素晴らしい時間と記憶を忘れてほしくはないと思う。

テーチンは手を止めてから、隣に立っている人に向かって言う。

「村長さんの仰《おっしゃ》っていたこと、ようやく理解しました」

ビアンレーは軽く笑い声を立ててから、テーチンの丈夫な肩をぽんぽんと叩く。

「これは〝褒章〟ですな。〝心〟がなければ絶対に得られません」

テーチンは眼鏡を外し、目に浮かんできたものをそっと拭う。

「最初はオレも怒ってたんです。ティアンのやらかしたことで、こいつの母親は思いつめて寝込んでしまったほどでしたから。ですが、今は、彼がこのような決断をしたことを非常に嬉しいと思っています」

運命のいたずらか偶然かは知らないが、一人の人間の身体と精神をよくここまで成長させてくれたものだと思う。実は、テーチンは、父の元上官であるティーラユット陸軍大将のやり方には、反対だったのだ。丈夫な身体を持っているわけでもない末の息子が単身で山や森の不便な生活をするのを許すなんて、と。

だが、おんば日傘で大事にされてきたお坊ちゃんは、他人のために何かをしてみて、こんなにも多くのものを手にしている。それを見て、テーチンは、この弟同然の人を見下し過ぎていたと気づき、自分を叱りたくなった。

ティアンは、周りに立っている人たちをきょろきょろと眺め渡す。一番会いたい誰かがいないか、と。だが、期待は裏切られた。

……本当に忘れさせるつもりなんだな。そうだろう？

真っ赤になった目で皆に手を振る。子どもたちの前で弱さは見せまいと必死に我慢する。ティアンはテーチンの手を慌てて引っ張る。もう一秒もこらえてはいられない。

シルバーの高級セダンが紅土《こうど》の路肩に停まっている。命令を受けて来ていた軍人は、二人の青年の姿が細い坂道から現れたのを見ると素早く後部ドアを開けた。

車中、テーチンは隣に座っているティアンをそっと見る。集落を出てしまってから黙りこくって何ひとつ口を利かない。それで、慰めるように言ってみる。

「泣きたかったら泣けばいい。誰も咎めないさ」

ティアンは鼻を啜り、息を深く肺に送り込む。そしてゆっくりと首を横に振った。

「……いや。もう十分だ」

昨夜、あの人と別れてからずっと泣いていた。知らないうちに眠りに就いたその瞬間まで。ごつごつと節くれだった手のひらが慰撫するように頭を撫でてくれたあの温かさが、まだ消えない。それもまた、ティアンが学ばなければならなかった物事だった。どれほど涙を流しても、取り戻すことのできないものもあるのだ。

「どうして誰も捜しに来なかったか、変に思ったりしなかったのかい？」

未来の医者は雰囲気を変えようと思って尋ねる。

「思ったさ。だけど、知りたくもなかった。連れ戻しに来ないなら、ラッキーじゃないか」

テーチンは、自分の知っている以前のティアンらしい答えを聞いて微笑む。

「お母さまは大暴れして家が壊れるんじゃないかというくらいだったぞ。ティーラユットさんが断固として、息子に広い世界を見せた方がいいと言い張ったから良かったが。そうでなきゃ、お前、ここに来た初日から捕まっていたはずだ」

「まあ、誰が喋ったかは大体分かるさ」

……あのトゥンの野郎以外にこの件を知っている奴はいない。それに、事件の前に自分と最後に出かけたのは、奴だ。

「けどな、ティーラユットさんが心配しなかったわけじゃないんだぞ。オレの父親は、世話をする人間を探すよう即座に命令された。そうだったろう？　そいつはよく面倒見てくれたか？」

ティアンは窓の外へ顔を向けた。心に未だ沈んでいる思いを気取られたくはなかった。

「ああ。とてもよく」

……そうだ。こんなにしてくれる人にはもう出会えないと思うほどに。

「ティアンはまだオレに言ってないな。どうして逃げるように家を出て、ボランティア教師になったんだ？」

どれだけ考えを巡らせても、テーチンには分からないのだった。このような決断をしたきっかけは何だったのか。

ティアンは顔を戻して相手に目をやり、小さな声で言う。

「……テー兄さんは分かってると思ってたよ」

「ドナーのことなら、知ってる。が、分からないのは、お前の考えだ」

「僕は……」

ティアンはしばし息を止め、口を開く。

「僕は、全てにうんざりしていた。人生の幸せが見つからないみたいな。何か新しいことをすれば、見つかると思ったのさ……」

　それを聞き、テーチンは全く理解できずに眉を寄せる。ティアンは金銀財宝の上に生まれ、赤ん坊の頃から今まで何一つも不自由したことがない。何かが欲しいと言えば、誰もが寄ってたかって与えてくれる。それなのに、どうして〝幸せではない〟のか。

「それで、今は、見つかったのかい？」

　美しい瞳が知らず知らずのうちに翳《かげ》っていく。隣に座っている人を驚かせるくらいに。

「分からない……それがよく分かるよりも前に、別れてこなければならなかったんだ」

　……それって、アカ族の村人や子どもたちのことを言っているんだよな？

　テーチンは自分の顔を撫でてから怪訝な視線を窓に向ける。これ以上、弟代わりの奴の感情を乱したくなかった。

　それから約二時間。高級車は町中に停まる。車内の人は軽く朝食をとり、再び車は走り始める。目的地、バンコクへ向かって。

　道中は静けさに包まれていた。時々、小さな声で会話を交わすくらいだ。どちらもそれぞれの理由で疲労し切っていた。

　ティアンは、テーチンが車内に用意しておいてくれた柔らかな厚いキルトの布団にくるまって眠った。それはとても長い眠りだった。まるで、夢の中からもう二度と目覚めたくないというかのように。

それでも戻りゆく時間は止まってはくれなかった。高級セダンは十時間に及ぶ旅を終え、とうとう〝ソーパーディッサクン家〟の大邸宅へと滑り入ってしまう。

ティアンは起こされて車の外へ出た。半分寝ぼけてはいたが、母親に抱きしめられて完全に覚醒する。

「ティアン！」

ラリター夫人はこの日を三カ月近くも待ち続けていた。これまでの日々、末の息子がどんな暮らしをしているのか、ありとあらゆる心配をして暮らしてきた。もし、夫の親しい元部下であるピターン大佐が安否を報告してくれていなかったら、悶々として死んでしまったと思われたほどだ。

「母さん……」

母親の優しさに触れ、心温まる思いがする。ティアンは腕を広げてきつく抱きしめながら、からかうように言う。

「こりゃ、痩せたね」

そう言われたラリター夫人はさっと離れ、息子の腕を叩く。

「もう、いい加減にしないと怒るわよ。家出しておいて、まだ母さんをからかおうだなんて」

息子は言い返そうとするが、母親の真っ赤な目を見て反省する。そして、柔らかな肩に手を当てて言う。

「……ごめんなさい。母さん」

ラリター夫人は息子の言動にびっくりしてどう反応していいのか分からない。ティアンも年頃の若者になって、友達や恋人ができると、親からは離れていった。男の子なら普通だ。両親に愛情を示したり親孝行したりするなんて気恥ずかしいし、沽券に関わるのも理解できるが、当たり前だとは分かっていても、親というのは、そうなるとさみしい。

ラリター夫人は、嬉し涙を浮かべながら息子の頭を撫でる。

「いいのよ。無事に帰ってきてくれただけで、母さんは嬉しいわ」

彼女は息子の顔に手を当てた。肌の色は前よりもややくすんだように見える。そして、頬と口元の薄くなりかけたあざのところで手を止める。

「まったく、ハンサムさんも台無しね……。これからは、あなたを拘束しないと、母さん、約束するわ。どこに行こうと、誰と遊ぼうと何も言わない。でも一つだけ、お願い。もうあの危険な山へは行かないで！」

母親の指令にティアンは一瞬、思わず息を止めた。そして何も答えず、反抗もせず、ただ目を逸らした。ティアンにとって幸運だったのは、母親は心配することに忙しく、動揺をさとられなかったことだ。その時、ティアンは、母親の背の向こうに父親が立っていることに気づいた。

「父さん。僕は……」

父親は小さく笑みを浮かべていた。彼は、目を見ただけで、ティアンの言いたいことを理解したようだった。そして歩み寄ってくると痩せた肩を二、三回叩き、小声で耳打ちした。

「後で話そう。母さんを安心させてから」

ティアンは頷き、全ての言葉を呑み込んだ。それから、母親に引っ張られるがまま、家に入った。応接間のシャンデリアの光が彼の目を眩ませた。ルイ・ヴィトンのゴールドのソファも、中国の明朝に遡る陶器の花瓶も、絢爛豪華な光を放ち、上流社会のあり様を誇示していた。

ティアンは豪奢な室内をぐるりと見回す。だが、慣れ親しんできたはずのその場所が今は、異質のものに見え、長いため息が漏れる。

……住んでいる世界があまりに違い過ぎる。

そうか。これが僕の世界なのだ。

13　孤独

バンコクまでの帰途に何時間も休んでしまったので、もう眠れそうになかった。夜、ティアンは長い間触っていなかったゲームをして時間を潰した。そうすれば、思考があの山の方へ戻ってしまわずに済むと思った。

まだ新しい生傷のようなものだった。うっかり触ってしまうと、傷口が開いてしまって、痛みが襲いかかる。

ほとんど一晩中かかって、ようやく眠気が訪れた。ティアンは着心地のいいソフトな木綿のパジャマという姿で、柔軟剤のほのかな香りの漂うシーツの上に寝そべる。広々とした四角い部屋はエアコンが静かに効き、程良い爽快な温度を作り出していた。

美しい瞳はセメントの天井をじっと見つめている。そこに、過ぎ去ってしまった時間が投影されているかのように。あの美しかった記憶を忘れてしまうにはまだ早過ぎる。何もなかったことにして生きていくことなんてできない。

ティアンの胸の真ん中には、大きなつかえのようなものがある。が、できるのは、それを呑み込んでしまうことだけだ。涙で濡れた目を閉じ、時が傷ついた心を癒してくれるのを待つだけだ……。

朝八時ちょうど。ソーパーディッサクン家の朝食の時間だ。家の人が下りてくる時間に合わせ、家政婦とメイドが皿を並べて準備している。美味しそうな粥の匂いが漂って、姉のピムプラパーの子女たち、タム、トン、テームが我先にと食堂へ駆け込んでいった。

邸宅の食堂とは別のウィングでは、ラリター夫人が早朝からの訪問者に、珍しいものでも見るような顔を向けている。

「どういう風の吹き回しかしら、ピム」

「昨日、夫がスイスでの視察から戻ってきたの。父さんと母さんにお土産を持ってきたわ」

ピムプラパーは答え、使用人に向かって袋を注意して持つよう大声で言う。高価な物なのだ。

「もっとゆっくり来てもいいのに。母さん、どこへも出かけたりしないわ」

ピムプラパーはどこ吹く風だ。本当は、あのどうしようもない弟が帰ってきたと聞いたから急いでやって来て、どんなよれよれの姿になっているのか、この目で確かめようと思っているだけだ。どこの奇人変人がわざわざ家出して山のボランティア教師になるっていうの。誰に話しても、鼻で笑われるわね。

ピムプラパーは小さく咳払いしてから尋ねる。

「母さんの最愛の息子さんは、まだ起きないのかしら?」

「誰にも起こしに行かせてないもの。きっと疲れていると思うの。ゆっくり寝かせてやりたいじゃない」

「そうよね。それはそれは大変な苦労をしたことでしょうよ。どこの甘やかされた子どものやることかしらね。失踪して親を驚かせようだなんて」

「弟を悪く言うのはやめなさい。無事に帰ってきたというだけで母さんは嬉しいんだから」

「母さんはいつも甘いのよ。だから、あんなだめな子になるんだわ」

ピムプラパーはあてこすらずにはいられない。ティアンが上の子たちから十も離れて生まれたから、大事に甘やかされてきたというのは分かる。それでも、やはり腹立たしい。が、目をやると、母親の背の向こうの階段にその弟が立っていたので、ぴたりと黙る。

どこから聞いていたのかは知らないが、弟の顔色は特に変わりがない。これまでのように相手の傷つく言葉を投げ返してくることもなかった。

「腹減った。まだ朝食に行かないのかい？」

弟が普通の口調で言うので、姉の方が絶句してしまう。

「え、ええ。行きましょう」

ピムプラパーは答えながら、落ち着きを取り戻そうと頭を軽く振り、別ウィングの食堂へ向かう。こんなふうに気遣いをしてくるなんて、思いもしなかったわ。普通の姉弟みたいじゃないの。

ティーラユットは、豪華なチーク材のテーブルの上座で待っていた。その横に三人の孫たちが揃って座り、お粥や卵焼きを口に入れては美味しそうに咀嚼《そしゃく》している。ピムプラパーは父親に向かって合掌すると、自分の席に座った。末の弟を遠回しにあてこすることも忘れない。

「タム。ひと様の席を取っちゃだめじゃないの。その席の人が帰ってきたんだから」

ティアンは、一番上の甥の顔を見る。甥っ子はスプーンを手に握ったまま、澄んだ目でこちらを見返している。ティアンは姉に言い返す。

「僕はどこでも構わない。あっちこっち移動させられるのも面倒だ」

そして末席の椅子を引いて腰を下ろした。

メイドが急いでお坊ちゃまのために熱い粥をよそった。することが遅いという理由で物でも投げられたらたまらない、と思っているのだ。ティアンは父親をそっと見る。今日の服装は完全装備だ。おそらく、外出する用事があるのだろう。そう思い、軽くため息をつく。真面目に話をする暇が一向に訪れてくれない。

テーブルに並べられた美味しそうなおかずを目で追う。そして一番近くにあった皿のものをよそった。卵焼きは油をよく切ってあり、タイ風にさくっとできている。七輪の温度管理がうまくできていないせいで端の焦げた、ティアン作の硬い卵焼きとはまったく大違いだ。

一口食べて、その美味しさに眼窩《がんか》が熱くなる。そして、自分に料理を教えてくれた人のことを思い出してしまう。その人は、あの最低の野菜炒めを一言の文句も言わずに食べてくれたのだ。

　ティアンは深く息をしてから、粥ばかりを口に押し込み、半分以上も食べてしまう。ラリター夫人は息子の異常な行動をこっそり見ている。が、何かを尋ねるよりも前に、本人が言う。

「母さん……これからは毎日、僕の分は洋食にしてくれと厨房に言っておいてよ」

「どうして？　山でこういう地元の料理ばかりで嫌になったの？　でも、そうね……こういうのはあなたみたいな高級志向の人には合わないかもね」

　ピムプラパーは侮るように唇の端を曲げて言う。

「結局、不便な生活に我慢できなくて、尻尾《しっぽ》を巻いて帰ってくるんだから」

　それを聞き、ティアンはいきなり立ち上がった。後ろへ引きずられた椅子が床の上で嫌な音を立てる。

「あっちで一生暮らせと言われても僕は平気だ！」

「そんなの母さんが行かせないわ！」

　ラリター夫人がびっくりして叫ぶ。そして、突っかかるようなことを言った娘の方へ向き直る。

「ピム、もうこの話は終わりにして頂戴。やめないなら、来週のパーティー用に母さんが貸したジュエリーは返して」

　ピムプラパーは口をつぐみ、下を向いて食事の続きにかかった。ラリター夫人もさっと立ち上がり、ティアンの腕をさすってなだめ、気を静めさせる。ラリター夫人は息子の揺るぎのない瞳の光が怖かった。この子は、本心では、さっき言った通りのことをしたいと思っているのだ……。

「座って頂戴。今、トーストとジャムを持って来させるわ。それとミルクに、搾ったオレンジジュースも。ね、それで、足りるわね」

ティアンは母に従う他なかった。トラブルは起こしたくない。トーストが焼き上がるまでの間、彼は牛乳のグラスを傾ける。その時、隣に座っていた姪っ子が上目遣いで見つめてきているのに気づいた。

姪のテームは指を出して、叔父の頬にある、薄くなりかけた紫のあざをつつく。

「……これ、痛い?」

以前のティアンだったら、聞き分けのない甥や姪なんて、うるさいなと一蹴していただろう。だが、テームの丸く大きな瞳の無垢さを見て、ティアンの心は和らいだ。確かに悪さをすることもあるが、やはり無邪気な子どもに過ぎないのだ。

「痛くないよ。もうすぐ治る」

「ティアン叔父さんはすぐ他の人と喧嘩をするって、ママが言ったの。身体じゅう傷だらけだって」

「テームは信じる?」

小さな子どもは何も考えずに頷く。

「信じる。だって、ティアン叔父さんはいつもあたしたちに大声で怒鳴るもの」

六歳児の正直な答えを聞いて、ティアンは返す言葉がなかった。悪いことをした気がする。

「……もう怒鳴らないよ。でも、叔父さんの物で遊ぶ時は、最初にお願いに来てくれるかな。分かった？」

「お願いしたら、遊んでいいの？」

「いい……」

叔父である彼は声に力を込める。

「ただ、もし壊したら、みんなで罰を受けること」

テームは出された条件に口を尖らせた。それから、ラリター夫人がメイドに持って来させたケーキに関心を移してしまう。ティアンは自分のジャムトーストをやっつけてから、病院へ行くことにする。主治医が電話してきて、どうしても今日来いと言うのだ。

家の前のポーチにはヨーロッパの有名メーカー製の車が停められていた。四ドアで、新車であることを示す赤いナンバープレートが付いている。前のスポーツカーは、ティアンが山へ家出している間に売り飛ばされてしまった。もうレースをさせたくない、という理由で。だが、ティアンにとって何の問題もなかった。逆に良かったと思うくらいだ。マセラティのグラントゥーリズモで、タイの道路を走るのは困難だから。

ティアンは家の専属運転手からキーを受け取り、ドアを開けて乗り込んだ。シートは柔らかく、技術の進歩が感じられるが、薄い唇からは苦笑が漏れてしまう。……どう足掻《あが》いても、あれほどの安心感は絶対に得られまい。あの鬼軍人の運転する古ぼけたオートバイの後部座席ほどの安心感は。

ティアンは一切の感傷を振り捨て、サイドミラーを少し直した。サングラスをかけ、ゆっくりとアクセルを踏み、その高級車を門の外へ飛び出させた。

ティアンがバンコクでいつも通りの生活に戻って二週間近くが経った。だが、なぜかひどく煩わしく感じられて仕方ない。ラリター夫人は強制混じりの懇願をして、ほとんど毎日、ティアンを社会奉仕活動へ連れ出した。そうでなければ、友人のマダムのところのお嬢さんをかどわかすように連れてきて、映画にショッピングだ。まるで、ティアンを一人で家に残しておいたら、また逃げ出されると思っているみたいだった。

ティアンは大きくため息をつく。母親のおせっかいに腹を立てているわけではない。ただ、疲れるだけだ。

今日はラッキーなことに一人で羽を伸ばせた。大学に、復学の手続きに来ているのだ。母親たちから解放され、ほっとする。

まだ午前で、都心の有名大学は学生たちでごった返していた。キャンパス内に路駐している車もびっしりだった。さっき管理棟で申請書を提出したので、次は工学部へ歩いていく。担当教授と話がしたかった。

同期の友人たちは、ティアンを見つけると、近寄ってきて挨拶したり、一年も休学することになった病気のことを訊いてきたりした。

それらはどこかよそよそしい好意だった。が、たとえそうだとしても、ティアンは誰も責める気にはなれなかった。なにしろ、心筋炎と診断を受けた日以来、明るい未来ある友人たちに背を向けたのは自分の方なのだ。そして上流階級の不良たちとつるみ、日々、自分の残り僅かな人生を浪費していたのだ。

もし、トーファンの〝心臓〟がなかったら、自分が今、ここに立っていることはきっとない。ティアンは自分の左胸辺りに手をやった。バスケットコートへ行き、観覧席に座って、物思いにふける。コートでは後輩の学生たちが競技に興じていた。おかしなものだ。あのパンダーオの崖ではっきりと宣言をして以来、体内で鼓動する心臓もおとなしく言うことを聞くことにしたみたいだ。締めつけられたり切りつけられたりするような痛みは、もうなくなっている。

ティアンは力尽きたように、観覧席に背をもたせかけた。身体はここにあるのに、心は他の場所に置いてきてしまったみたいだった。問題は、これからの生活に我慢ができそうもないことだ。全ての思いは未だあの集落のたくさんの思い出と繋がっているのだから。ティアンは心を乱し、歪んだ顔を手のひらで覆った。

……あと、どれだけ苦しめばいいのだろう。

だから、あなたは僕に全て〝忘れろ〟と言ったんだ……。

突然、携帯電話が鳴ってティアンは飛び跳ねた。画面を見てみるが、知らない番号が表示されている。とりあえず通話ボタンを押してみると、相手の少し威圧感ある低い声が聞こえてきて、真っ暗闇だった世界に光が差した気がした。

「こんにちは、ティアン……」

「ウィナイ先生！　こ……こんにちは」

「元気ですか？　君が戻ってきた初日に電話しようと思っていたのですよ。ただ、疲れが残っているかとも思いまして」

「すみませんでした。連絡も差し上げずに」

ティアンはしどろもどろに答える。

「……家のことで忙しくしておりまして、あと、復学のことですとか」

「気になさいますな。分かります」

セーントーン財団会長は慈悲深い声で言う。

「もし時間があれば、こちらに来てもらって話したいのですが」

「話ですか？」

ティアンは唾をごくりと呑み込んだ。ボランティア教師となった経緯の秘密が全部ばれているのかもしれない。

「そうです。話を……。だって君は、まだ私の質問に答えていないではありませんか。約束です」

ティアンは少し黙る。そして、応じる。

「はい。今日の午後に伺います」


高級ヨーロッパ車が、トンブリー地区の寂れた小路へ静かに入っていく。ティアンは古い煉《れん》瓦塀《がべい》の横に車をつける。財団の看板は柵に掲げられている。近くまで歩いてくると、子どもたちの賑やかな声が聞こえた。中で何かのイベントをしているようだ。

ティアンは鉄扉に手をかけたが、取っ手を回す前に門は開いた。目の前に現れたのは、ウィナイ教師その人だった。ふくよかな体は、前と同じように色褪せたモーホーム（伝統的な藍染めの衣服）に包まれていた。

「お帰りなさい。ティアン先生」

自分の名前に〝先生〟を付けて呼ばれ、思わず動揺してしまう。ティアンは首を軽く横に振って言う。

「……そんな風に呼ばないで下さい。僕自身に、その言葉はまだ、全然似合わないんですから」

年配の会長は大きく笑みを広げ、ティアンの服装や靴を眺めた。やはり頭から爪先までブランドものだ。が、その雰囲気はどこか以前と違って見えた。

「君は変わりましたね」

ティアンはもの問いたげに眉を上げてみせる。ウィナイ教師は淡いブラウンの瞳を覗き込んでから言った。

「君の目の中に、もう火がありません」

心の中を透視されたかのようだった。手が小刻みに震える。土産にしようと、大学の生協で買ったベーシックな教材類のビニール袋を持っていたのだが。

「先生。僕は……」

「何も言う必要はありません。中で話しましょう」

ウィナイ教師は遮って、ティアンを芝生の庭へ招き入れた。庭ではちょうど、どこかの児童養護施設から来た子どもたちが先生と楽しげにジャンプしていた。少し離れたところには茶色い木のサーラー（タイ式の東屋）があった。大きな樹が枝を伸ばし、涼しそうな陰を落としていた。

風に合わせて揺れる木の葉を見ていると、ごちゃごちゃに混乱した心がだいぶ落ち着くような気がした。ティアンはサーラーのベンチに腰かけた。真向かいにウィナイ教師が座る。二人はそこで少し休んでから、話を再開した。

「率直に言います。君が二カ月以上もパンダーオの崖に暮らせたことは、私には驚きでした」

ティアンは悲しげな笑みを浮かべる。

「……でも、一タームを終わらせることはできませんでした。先生が予想された通りに」

「ですが、もし、あのような危険な事件がなければ、きっと君は最後までいたでしょう」

「あの事件は、僕が原因なんです……」

喋れば喋るほど、罪の意識に顔が下を向いてしまう。

「僕は危うく、村長の息子さんを死なせてしまうところでした」

「あまり考えなさるな。それも人生の中を流れゆくものの一つに過ぎない」

ウィナイ教師はなだめるように言った。が、そんな風に言われると、流れ出しそうになる思いが堰き止められなくなってしまう。

「僕の体はこうして帰ってきました。ですが、僕の心は、あの場所のことばかり思っているんです。……子どもたちは、僕に、与えるということを教えてくれました。集落の人たちは、僕に、自分の価値を教えてくれました。一緒に過ごした時間はほんの僅かだったのに、彼らは、僕の人生で一番のものになってしまっているんです」

そして、あの鬼の軍人は、僕に、世界のあらゆる規範を超える〝愛〟を教えてくれました……。

透き通った涙が静かにこぼれ、言葉では説明できない思いを伝えた。ウィナイ教師は、酸いも甘いも噛み分けてきた人の持つ慈愛を込め、ティアンを見つめる。彼は真っ赤になった目をこすっている。

「それで、君は、探していた答えを見つけたのかね？」

ティアンは二、三度、深呼吸をして心を静めてから口を開く。

「……僕は、両親に迷惑ばかりかけているような僕が、こんな風に他人の役に立てるとは思ってもいませんでした」

「それは君にあって、他の人にはない何かがあったからだろう」

彼は頷く。

「……それから、村の人たちには、僕はよそ者なのに、本当に親切にしてもらいました。もう都会の社会に戻りたくない、と僕に思わせるくらいに」

ウィナイ教師は首を小さく横に振った。この上流階級の若者が沈み込んでいる理由がだんだん分かりかけてくる。

「ティアン。私は思うのだがね、君は、今、道に迷いつつある」

「自分が心地よく思う場所に暮らしたいというのが、間違っているんですか？」

美しい眉がぎゅっと寄る。

「では、私に言ってみなさい。今、君は、なぜ、何としてでもあちらへ帰ろうという努力をしていないのかね。違法集団はもう投獄された。これからしばらくは平穏な状況が続くだろう。私は君を派遣する手続きができるのだ」

言われてティアンはぽかんと口を開ける。美しい一対の瞳に迷いが浮かぶ。どんなに帰りたいと思っても、自分にはそれができない。心配でどうしようもないという母親の顔を見て、思い知らされたのだ。自分は親に頼ることなしに生きていくこともできない、ただの〝子ども〟だ。卒業すらしていない。金だって親のすねを齧るしかない。

本当に、よく分かってはいる。それでも、やはり、我を張っていたいのだ。

彼は考えをまとめることができず、額に手を置いて俯く。どうしても結論が出ない。

「……僕はただ、全てをただの過ぎ去った思い出にしてしまうことが嫌なんです」

「人は人生を歩み続けなければならないのだよ、ティアン。一時の感情によって未来を壊してはいけない。君もよく知っている通り、あそこでボランティア教師を一生やることはできない。家族も君の人生の成功を待ち望んでいるだろう。それを捨てることはできるのか」

ティアンは俯いたまま、答えなかった。ウィナイ教師は立ち上がり、ティアンの隣に来て座り直す。そして優しく言った。

「……教えてあげよう。君がチエンラーイへ出かけた最初の日に、ある人物から電話があった」

「父ですか？」

ウィナイ教師の顔に大きな笑みが浮かび、ティアンは想像が当たったことを確信する。

「その人物の問い合わせは、君に関することだった。その人物は、君が財団に来た後、置き手紙一つ残しただけで消えたということを話した。私もそのような大ごとになるとは思っていなかったものだから、では、君を送還するようにしましょうと提案した。ところが、その日、その人物はこう言われた。『希望的に考えることにしよう。子が何をしようとも、親にできることは、サポートだけだからね』と」

年配の教師は細い肩を励ますように軽く叩いた。

「だから、過ぎ去った過去は、君の選び取る未来に変えることができるのだ。頑張って、現在を最善にする努力をしなさい」

短い言葉だったが、彼の思考を覆っていた霧の帳《とばり》をすっかり吹き払ってくれるような言葉だった。曇っていた瞳に活力の光が戻る。ティアンはゆっくりと手を合わせ、〝与える者〟である教師へ心の底から合掌をする。与えてもらったのは知識だけじゃない。人生の指針も与えてくれた。

「ありがとうございます。僕自身、その未来の来る日が待ち遠しいです」

端整な美しい顔に静けさが浮かんでいる。精神的に少し成長し、大人の考えもできるようになったようだ、とウィナイ教師は思う。ティアンは、一度だけ過ぎゆく時に賭けてみたいと思う。この思いがどれほど揺るぎなく強いものなのか。

……約束してくれるかい？　ティアンは、心の中で呼びかける。どんなに時間がかかるとしても、あなたは、そこで僕を待っていてくれる、と。

幸運は往々にして不運を連れてくる。ティアンの術後の経過は良好だったが、三年の初めから休学してしまったため、これからまた、後輩たちと一緒に全てのコースを履修しなければならないのだ。

　彼は四月のサマーコースの自由選択科目にも登録した。ちょうど、母親のラリター夫人にあちこち連れ回されることにもうんざりしていたし、大学に行けば母親に付き合わずに済む。

　新学期が始まるまではずっと、家と大学との往復を繰り返す生活となる。同期の友人たちが最上級生になりつつあるのに、自分は、かつての後輩と肩を並べて勉強しなければならないことに、少し違和感はあった。

　ティアンはレクチャールームの後ろの方の席に座り、俯いて授業のノートをせっせと取る。もともと一生懸命勉強していたわけでもなく、勤勉な学生でもなかったが、経験によって気づかされたことは、今やっておかなければ、明日やり直せないこともあるということだった。

　昼休み。後輩はいつも学食へ行こうと誘ってくれる。ティアンは、誘いに応じることもあったが、遠慮することも多かった。それに彼は、キャンパス外のエアコンのよく効いた店の方が好きだった。

　六時までびっしりだった授業がようやく終わる。学生たちは皆、素早く片付けをし、賑やかに教室を出る。グレーの実習服を着た集団が一斉に階段を駆け下りる。まるで蟻の巣でもつついたみたいだ。その後ろから、異様に目立つ一人の男が下りてきた。

ジェルで無造作な感じに固めた短髪。シャープな顔立ちに、白くすべすべした肌と不釣り合いな派手な服。色落ちしたジーンズに包まれた長い脚が、特に急ぐでもなくティアンの方に向かってくる。ティアンはトゥンの姿が見えて、仕方なく立ち止まる。気に食わないのでヒューッと口笛を吹いてやった。

ティアンは自分の前を塞いだ奴をちらりと見て、大きなため息をついた。

「行かないと言っただろ」

「おう。分かってる。だからここまで出張ってきたんだって。……お前、授業が終わるの遅かったな。待ち過ぎて全身つりそうだ」

トゥンはわざとらしく脚の筋を揉みながら、泣き崩れるふりをして同情を買おうとした。……ここでティアンに逃げられたら困る。バンコクの外れの家から車を飛ばし、午後三時から網を張っていたんだからな。それなのに良い子の野郎め、いくら待っても授業が終わる気配もない。

「わざわざ来たって時間の無駄だ。オレがもう酒を飲めないのは知ってるだろうに。何をさせようってんだ」

昨夜のトゥンからの電話で、トーンロー界隈のいつもの高級パブで暴走仲間と久しぶりに飲もうと誘われたのだった。ティアンは断ったが、大学に押しかけてまでしつこく誘ってくるとは思わなかった。

「お前はコーラでもオレンジジュースでも飲んでろよ。顔だけ見せればいいって。今頃、あいつら、お前のこと腰抜け野郎とか言ってコケにしてるぜ」

ティアンは一瞬黙る。それから、気にするなと言い聞かせるように手首を振った。

「……あいつらはオレが病院で死ぬか生きるかって時に一匹たりとも顔を見せなかった」

「気にするなって。あいつらの性根なんかそんなもんよ」

トゥンはティアンに歩み寄り、小さく耳打ちする。

「実はあいつらと賭けてるんだよ。今日、お前を穴倉から引きずり出せるかどうかってな。オレの顔を潰さないでくれると助かるんだが」

「関係ねえ！　人をダシにしやがって」

ティアンは言い放ち、さっさと行ってしまおうとする。が、トゥンに二の腕を掴まれた。

「賭け金が十万バーツ（日本円で約三十三万円）なんだよ……お前が行ってくれれば、勝った金は全額渡す。で、お前はどこにでも行って何でも好きなことすればいい」

相手は最後のところを特に強調し、さらに言う。

「……それとも、恵まれない子どものための財団に募金するか？　悪くないだろ」

ティアンは上目で腹立たしい野郎の目を睨み、何か隠し事をしていないか見きわめようとする。富豪の暴走ギャングが金を湯水のごとく使うことは知っている。こんなお粗末な賭けに十万バーツくらい、奴らにとって屁でもない。というのも、普段のレースでは、百万バーツの札束の半分くらいは飛び交うものだからだ。

「二言はないぞ。明日、オレの口座に、金が振り込まれる」

トゥンは笑みを浮かべ、手を挙げて宣誓する。

「……ボーイスカウトの名誉にかけて」

ティアンは、首を小さく横に振る。自分が今まさに狼野郎の計略にはまっている気がしてならない。ほんの一、二時間で帰ってくればいい、と考え、相手に伝える。

「なら、オレは一旦帰るからな。八時、いつもの場所だ」

トゥンは頷き、歩み去る細い身体に向かって手を振りながら、胸を撫で下ろした。トゥンはもともとお節介な性格では全くないのだが、山から帰った後のティアンの様子を見て、なぜかむず痒いような気分になっていた。地獄だろうとどこだろうと行かない場所はないチームの中心メンバーだったくせに、今は引き籠って熱心に勉強などしている。王室から表彰でもされようってのか。まったく、オレの知ってるあいつじゃねえ……。

トゥンの作戦は、賭けを口実にして、ティアンを引っ張り出し、憂さ晴らしをさせてやろうというだけのことだった。昔の彼女にでも会えば盛り上がって、元のティアンに戻り、再び自分たちと遊んでくれるようになるかもしれない、とトゥンは考えたのだ。

ティアンが来たのは、トーンロー地区にある、ライブ演奏で有名なパブだった。店は以前と変わらず、羽を伸ばしに来た若者やオフィス勤めの人たちで賑わっていた。室内は全ての種類の煙草が禁止されているが、それでもどこかからニコチンの匂いが染み入ってきていた。

ボーイがティアンに合掌の挨拶をした。常連だった彼の顔をまだ覚えているのだ。鼻にニコチンの匂いがしみるので、ティアンは手のひらで押さえる。一切の悪事をやめて以来、身体がこうした匂いにひどく敏感になってしまった。それで、盛り場に来る気もしなくなっていたのだ。

店内の段違いのフロアはガラス張りになっていて、様々な色のライトが淡い光を落としている。ティアンはTシャツの上に重ねたシャツの腕をまくり、ディーゼルの濃い色のジーンズを穿いている。暴走ギャングたちのグループを見つけるのは難しくなかった。VIPのテーブルはバーカウンターの前にある。テーブルのすぐ斜め前にはバンドの低い舞台があった。

トゥンは目ざとくティアンが入ってきたのを見つけ、手を振って呼ぶ。それだけでグループの皆が振り向いて囃し立てた。

「仙人が僧院を出てきたぞぉ」

「来いよ、チキン野郎！　今夜は酔うまで帰さないからな」

グループの一人が馴れ馴れしくティアンの首に腕を絡めてきて、空席に座らせる。すぐに女たちが来て、両脇をくっつけて座った。ティアンはどういうことかすぐ理解し、自分を連れてきた奴を睨みつけた。昔ちょっと関係のあったアンという女が腕を絡め、誘うように柔らかな胸を押しつけてくる。

「ティアン、どうして全然会えなかったのぉ。アン、さみしくって」

ティアンは真っ白く化粧された女の顔をちらっと見る。少しだけ、付き合ったことはある女だし、うっかり視線を下げてしまい、ぴっちりとした服の下の豊満な胸の膨らみに目をやってしまう。唾液が粘つく。行動を改善しようという努力はできても、自然の欲求に逆らうのはひどく難しい。

「健康状態があまり良くなくてね」

ティアンはアンからなるべく体を離そうと試みる。が、今度は、別の側に座っていたチョムプーという女の腕に触れてしまう。

「じゃあ、ここも病気なの？」

彼女は自然な動作でティアンの体の中心を手で軽く触り、耳元へ囁《ささや》いてくる。

「チョムプー、今夜確かめてみたいな。この後にね、ティアン」

震えるような甘い声で体じゅうの血が沸騰してしまう。ティアンはきつく眉を寄せる。こんな風に舞い上がる自分が本当に嫌いだ。そう思い、すかさず立ち上がる。

「トイレだ」

が、脚を踏み出すより前にグループの仲間たちがどっと笑う。それから、人を痛めつける言葉の数々。

「なんだ、お前？　これっぽっち握られただけでイっちまったか？」

「雀が水飲むより早いんじゃねえか」

ティアンはかっとして顔を強張らせる。言った奴の口を一発張ってやろうと思いかけたその時、いつも教え導いてくれたあの人の言葉が過《よぎ》った。

〝……君は賢い。こうした輩《やから》に対して暴力で問題解決するのではなく、方法はいくらでもあるということを君は知っているはずだ〟

薄い唇に冷笑が浮かぶ。こいつらの汚い口を殴ったところで手が痛むだけだ。自分を傷つけることはもうとっくにやめたのだ。が……他の奴にやらせるか。

「おう。ちょっと出してくるわ」

トゥンがぽかんと口を開けながら、仲間たちを押し留めている。そして、おとなしくさっと出て行ったティアンの細い背を、怪訝な思いで見送った。……今さっき、火蓋は確かに切られたと思ったんだが、ティアンの奴、ぴたりと静止しやがった。トゥンの本能が警鐘を鳴らす。冷たい酒のグラスが目の前に出され、トゥンは雑念を振るい落とすと、琥珀色の液体を喉に流し込み、混乱した気を静めた。

ティアンは、夢中になって踊る群衆をすり抜け、〝標的〟へ向かっていった。自分たちのテーブルとは別の側のカウンター席に座っていたセクシーな体つきの女に向かって。昔やったみたいな意味ありげな視線を送ってから、隣のスツールに腰かけて話しかける。

「一人で来てるの？」

女が背の中ほどまである長いウェーブの髪をかき上げる。いい男に魅力を見せつけているつもりだろう、とティアンは思う。

「一人に見えないのなら、何人に見えてるのかしら」

……この言い方。百人中百人、間違いなくすでに男がいる。

「まさか自分にこんなラッキーなことがあるなんて、思わなかったんだ」

ティアンは顔を彼女の赤みを帯びたきめ細かい頬へ近づけて言う。

「後で、話さない？」

「どうやって？」

彼女の声がかすれる。おそらく、いきなり完璧な男が現れたので、緊張しているのだ。

ティアンは、嬉しそうな顔をしてみせる。そしてバーテンダーからペンを借り、コースターを裏返して名前と電話番号を書く。ちょうどその時、視界の端にプロレスラーのように大きな男が見えた。群衆を押し分け、こちらへ食ってかかるように向かって来る。

「十二時、表で」

ティアンは急いで会話を切り上げ、パブの薄暗がりの中の人波に混じった。

トイレだとは言っておいたが、実際には行っていない。ティアンはロフトへ駆け上がり、テラスから見下ろして面白いことが起こるのを待ち構えた。ほどなくプロレスラーのような男が歩いてきた。さっきの女の恋人だとティアンは推測している。男は、ある人間の名前をフロアじゅうに響き渡る大声で呼び始めた。コースターの裏に書かれた名前だ。

もちろん、それはティアンの名前ではない。

プロレスラーのような男は、テーブルを一つずつ、叫んで確かめていき、とうとうＶＩＰテーブルに近づいた。そして、喧嘩を売るように大声を出す。酔っ払いかけていたコースターの名前の主が気づき、すっくと立って悪党の見本を示す。二人はしばらく罵倒し合っていたが、どちらの言い分も意味不明なので拳を使って話した方が早いという様相になる。

ＶＩＰグループは大挙して止めにかかる。が、一人ずつ、ばらばらの方向へ弾き飛ばされてしまう。ティアンは頬杖をついて下界の混沌を眺め溜飲を下げた。

が、事態はさらに悪化する。プロレスラーのような男の仲間が加勢したのだ。彼らは傍のテーブルにあった酒瓶を叩きつけ、鮫の歯状に割る。遊びに来ていただけの関係ない客たちがつんざくような叫び声を上げ、舞台のバンドさえ演奏を中断して逃げ出してしまう。

ティアンは目を見開く。

「……うわ、やべえ！」

人混みをかき分け押し除け、階段を下りる。そこは、生臭い血の匂いが立ちこめ、痛みに呻く声があちこちで上がっていた。ティアンは慌てて、めちゃくちゃに揉み合っている両者の間に分け入り、引き離そうとした。が、鋭い肘に突き飛ばされ、弾き出されてしまう。ティアンは、そこで、はたと冷静になる。

こいつらを止められる人といえば……。

警察。

だが、今さら呼んできて、間に合うか？　ガラス片が飛んできて、ティアンは、身をかがめ、避けた。這いつくばって盾になるものを探し、低い舞台の横に身を潜め、汗びっしょりの顔を撫でる。どうしたらいい。考えるよりも先に、彼の手はジーパンのポケットから携帯電話を掴み出し、ぶるぶる震える指でアプリを起動させる。

運が味方した。というのは、変わった着信音を編集するアプリを入れてあったからだ。〝サイレン〟をタップすると緊急車両のサイレンに似た音が鳴る。が、音量が足りなくて喧嘩中の両者にまで届かない。ティアンは左右を見回す。舞台の横にマイクが落ちている。飛びついて掴み、すぐさま携帯電話のスピーカーに当てる。

誰かが叫ぶ。……警察だ！　その場が一瞬ぴたりと止まる。そして、責め罵る声が響き合う。混乱の第二波となるが、今度は乱闘ではなく逃亡劇だ。誰も豚箱には放り込まれたくない。喧嘩をしていた両者はそれぞれ負傷した仲間の首根っこを引っ張ってばたばたと散っていく。

ティアンはフロアの壊滅的な有り様を眺めた。事の発端は自分なのだから、全身の毛が逆立つ思いだ。ＶＩＰテーブルに百万バーツ単位の請求書がやって来ることは間違いない。が、そこで、背後の誰かが手で襟元を掴んできたため、ひっと飛び上がる。

トゥンだった。残忍な冷笑を浮かべていた。その顔にも、青黒いあざが少なからず見受けられた。

「お前の仕業とは分かってるからな……。続きは外だ」

ティアンは自分を掴む手を振りほどこうともがいたが、トゥンの方が力が強いので、引っ張られ、パブの外へ連れ出された。

闇カジノ王の倅《せがれ》は、ティアンを自分のハマーの中へ投げ込んだ。逃げられないようドアを閉めてロックし、詰め寄る。

「危うく、お前が怖気づいたと騙されるところだったぜ。あいつらの毒舌をスルーするとはな。いや参ったね、さらにすげえ災難にしてくれたじゃねえか！」

「悪かった。こんな大ごとになると思わなかったんだ」

ティアンは、手のひらを前にかざし、許しを請う。

トゥンは頭に来て唇を曲げているが、今さらどうしようもない。その時、本物のパトカーが二台入ってきたのが見え、トゥンは即座に車のプッシュスタートボタンを押した。

「お前を家に送る」

「で、オレの車は」

「誰かに電話して取りに来させろ、馬鹿野郎」

そう言いながら、トゥンはギアを思い切り引いて加速し、現場からできるだけ離れようとする。

友人の唇は端が切れて血が滴っている。ティアンはそれをちらりと見て、静かな声で訊く。

「……先に病院に寄って、傷を診てもらうか？」

が、言うやいなや、怒鳴り声が浴びせ返される。

「てめえのせいだろ！　死ね！」

「おう、オレのせいだ。思う存分ぼろかすに言っていいから」

ティアンは腹立たしく思いつつも、自分の胸を抱くようにして背をシートに投げ出した。が、その時いきなり、トゥンは憑かれたように大声で笑い出した。

「何だ、お前？」

ティアンは声を上げ、トゥンの顔を見る。

「いや、安心しただけだ。お前がやけに平和的だから、頭でも丸めて坊主にでもなっちまうのかと心配してたんだ。ところがどっこい、最低のワルじゃねえか」

「……それって、ひそかな悪口か？」

「褒めてるんだって。賢いのなんの。実はお前、山で頭脳促進キャンプにでも入ってたのか？」

その言葉でティアンは口をつぐんだ。……もし、僕がまた他人に迷惑をかけたと分かったら、あの人はどれだけ失望するだろう。

美しい顔が窓の外を向く。通りは、たくさんの光で溢れていた。このお洒落な街は、電気すら通っていないパンダーオの崖の集落とは全く違う。

「なあ、トゥン。もうお前らとは会わねえぞ。店から損害賠償請求書が来たら、オレが全額持つから」

車内に静かな空気が流れた。トゥンはおとなしくなり、ただ、簡単に頷く。

「気にするなって。オレがお前を無理矢理連れてきたんだしな。オレが片付けといてやるさ」

大きな手の一方がハンドルを離れ、友人の細い肩を励ますように軽く叩く。

「……ま、勉学にでも励め。お前の将来のためだしな」


一日はひと月となり、ひと月は一年となる。国土最北の鄙《ひな》びた国境でも人生は確実に進んでいく。人は誰も流れゆく時を止められない。そして、美しい思い出をそのままに留めておける人もいないのだ。

あの大がかりな違法伐採者摘発があってから、二年が経とうとしていた。国境線の周辺は元通りの状況に戻っていた。つまり、今でもなお、麻薬密輸グループとの衝突があり、そうでなければ時にテロリストとの衝突がある。

三日前、プラピルンの崖の基地では、国境警備警察と合同で密入国者の捕縛を行い、それが人身売買ブローカーとの戦闘に発展した。逮捕に至るまでに、任務に参加した軍人の複数名が負傷した。当然、中隊長も自ら人員を率いて捕縛に赴いた。

医務室では軍営専属の医師の他、当番制のアシスタントも総動員で傷の手当てに従事し、今回の犯人グループとの衝突で負傷した軍人らを診察する。

プーパー隊長はシャツをまくり上げ、十針も縫った肋骨の上の傷をワサン医師に洗浄してもらう。ワサン医師は手当てをしながら、ぶつぶつとぼやく。

「……まったく、患者が自分で傷口を乾かそうともしないんだからな。きちんと拭くよう言っても、水をぶっかけやがる。肉が腐敗した日には、えぐり出すしかないんだぜ」

「口やかましい奴だな。まったくお前の彼女が気の毒だ」

プーパーは面倒くさくなってあてこする。

「オレの彼女はこの十倍はやかましいぜ」

それを聞いて、プーパーはふんと鼻から息を出した。

「なら、お前には似合いだ。いつになったら結婚するんだ」

ワサン医師は親友と会話を交わしながら、医療用手袋をはめた手で目の前に座る男の縫合痕に清潔なガーゼを当てた。外科用テープをきっちりと貼り、動いた時の衝撃を防止する。

「家族は話を進め始めてる。が、オレとしては、まず、ここの仕事を片付けちまわないとな。他の医者にまあ一カ月か二カ月代行してもらう話が通れば、急いで山を下りて式を挙げる」

「……で、ハネムーン休暇は取らないのか。まるで式が終わったらとんぼ返りというみたいだ」

「ま、そんな感じさ」

未来の妻の気持ちを考えてもいないような言い方だったので、隊長は思わずワサン医師の顔を見る。

「お前、ドクター・ジップに愛はあるのか。義務で結婚するみたいじゃないか。彼女はお前のことをもう一生分くらい待ち続けてるんだぞ」

皮肉交じりであっても、親友が心配してくれているのが分かった。ワサン医師は内心ふっと笑い、答える。

「オレたちは理解し合ってるんだよ。……率直に言うが、オレがここを長く離れたくないのは、お前のことが心配だからだ」

大柄な軍人は眉をひそめた。顔がたちまち険しくなる。相手が何を言いたいのかはよく分かる。だが、もうずっと昔のことなのだ。あの上流階級の元ボランティア教師が、すでに何十人の恋人を取り替えていてもおかしくない。

「心配してくれなくていい。傷はもう完治したんだ。本当だ」

プーパーは声を硬くして断言する。

「それはお前、自分の状態を鏡で見たことがないからだよ」

シルバーフレームの眼鏡の下で目が光る。ワサン医師は察しがいい。身体の傷ならきれいに治るかもしれない。折れた右腕だって銃を完璧に持てるまで回復する。だが、プーパーは気を抜くと必ず虚ろなミイラのようにぼうっとしてしまうのだ。

プーパーは物静かな男だ。何事も胸に留めておく。口では大丈夫だと言っても、その内面がどれだけ深いのかなど誰にも分からない。

「本人よりお前の方がよく分かるなんてことがあるか」

ワサン医師はこの口の重い奴を笑い飛ばしてやりたいと思う。そして薄い唇に意地悪い笑みを浮かべる。

「……こういうのはどうだ？　結婚休暇を取る間、オレはコネを使って、ドクター・タナーコーンを代行に来させる」

タナーコーンとはワサン医師の後輩の軍医で、チエンラーイ市内のメンラーイマハーラート基地に転属してきたばかりだった。二人が月例会議で市内に下りると、タナーコーンはいつも無表情の隊長に向かってこっそり甘い視線を投げていたのだ。

「スリムなスタイル、色白、顔良し、立ち居振る舞いはがさつでない。お前の好みだ。もしお前の心の傷が完全に治ったというなら、ま、付き合ってみろよ」

ワサン医師は、さらにそそのかす。

「それにな、軍医ならお前と一生を共にすることも不可能ではない」

……もう十分だ。彫りの深い顔が曇り、いつだったかどこかの誰かが凧に描いた鬼そっくりの形相になる。

「やり手婆《ばば》か、お前は。今にオレの足蹴を食らうが知らんぞ！」

「落ち着けって。相棒だろ。良かれと思って言ってるんだ。今頃、ティアンくんはとっくにお前のことなんか忘れてるさ」

「忘れない！　そう言った」

あの日、震えていたあの声が今も脳裏を離れない。それは、まるで呪いのようだった。その呪いのせいで、永遠に叶わない望みに、いつまでももだえ苦しみ続けなければならないのだ。

「本当に、まだ彼のことを待っているんだな」

ワサン医師はからかうのをやめ、同情する表情になる。あの頃、自分が二人のことを楽しんで見ていたのは悪かったと反省しているのだ。プーパーには死ぬ前に一度は恋を貫いてほしいと思う。が、こんな悲しい傷を負うことになるとは。ワサン医師は厚い肩を慰めるように叩く。

「プー。高嶺の花は簡単には落ちてこないんだぞ。お前が努力して掴まない限りはな。……住所は探してやれる。が、携帯番号はちょっと無理だな」

「やめてくれ」

プーパーは肩に載った友人の手をぽんと叩く。

「……花は高嶺にあるのが似合いだ。お前の言うことは正しい。オレと一生を過ごせる人はきっと他にいるだろう。だが、心の中の人は、誰にも替えられない」

ワサン医師は絶句する。が、正気を取り戻すと、唸り声を長く伸ばした。

「涙が出るよ。録音してティアンくんに聞かせてやりたいくらいだ」

「うるさい。放っておいてくれ」

ワサン医師がしつこいので、プーパーは堪忍袋の緒が切れて暴力を振るってしまわないよう、さっさと立ち上がる。そして部屋を出ようとした時、大きな声が追ってきた。

「結婚式の招待状、お前の高嶺の花にも送るつもりだぜ。式の日に会わないか？」

プーパーは振り返り、策謀家を指さして抹殺する。

「お前がくだらんことにまだ首を突っ込むなら、ドクター・ジップは婚約者を失うことになるぞ！」

「わお。嫌です、隊長！」

プーパーはやりとりから逃げるように外へ出た。癪に障って仕方ない。本当は、ワサン医師の言うことにも一理ある。確かに、ワサン医師がバンコクへ行って長い間留守になったら、この場所はどんなに寂しいものになるだろう。プーパーにはよく分かっていた。ドクターの野郎がいちいち人の気に障るようなことをするのは、プーパーを元気づけようとしているのだ。

宿舎まで帰りながら、夜空を見上げてみる。そこにきらめく星々は千も万もある。ティアンが星を千個数えようとしていたあの時のことを回想し、柔らかな笑みを浮かべる。

……君は、最後の星の一個をもう見つけたかい？

いや、まだだろう。

もしも見つかったのだとしたら、あの夜の願いが叶ったことになるのだから。

14　願い

大学生活は最終の年に入った。様々な物事に心を開くようにし、元は後輩だった同級生たちとも徐々に親しくなっていった。そして授業が終わった後、必ず誘い合って何か食べに行ったり、軽いスポーツで汗をかいたりするまでの関係になった。

勉強が忙しかったのに加え、友達との付き合いもあり、この世界にたった一人で立っているという孤独感は薄れていった。人生は明るく、そして遥かな未来があった。この前の長期休暇にはアメリカへ飛び、修士課程に進むべき大学も探してきた。

時に、山の上でのことを思い出す日もある。が、以前のような強く焦がれる執着心はなくなった。あの傷は癒され、すっかり蓋を閉じてしまったかのようだった。〝心臓〟のことも、自分を煩わせるものにはもうならなかった。ごくたまに、女の子とデートもしたが、それは必ず連絡が途絶え、終わった。

だが、一通の招待状を受け取った時、気づく。

たとえ時が経って顔の造作を鮮明に思い出すことはできなくなったとしても、心の中では〝あの人〟に代わる誰かなど決していないということに。

大学から帰った後、ティアンは、家に届いていたライトブラウンの封筒を、何だろう、と取り上げた。が、差出人の氏名と住所を見て、びっくりしてしまう。

〈ワサン・スッティクン軍医大尉〉

ドクター・ナーム！　嬉しい驚きに慌てふためき、封筒をびりびりに破いてしまう。中には、厚紙のカード。金色の大きな文字が書かれている。

〈この度、結婚式を挙げることとなりました。ご来臨の栄を賜りたく、謹んでご案内申し上げます〉

「結婚……」

バンコクで小児科医をしているという新婦の名前を読み、式日と場所を頭に刻み込む。

彼の左胸にある臓器は、今、早鐘を打っている。思いを寄せるあの人に、披露宴で会えるかもしれない。

金曜の夕方。帰宅したソーパーディッサクン家の末息子は、嵐の勢いで家の前に車を停めた。

大急ぎで母親に頬ずりの挨拶をすると階段を駆け上り、素早く部屋に入る。ラリター夫人はしばし呆然としたが、息子が年上の知り合いの結婚式に行くと言っていたことを思い出す。そこで彼女はメイドを呼び、きちっとアイロンのかかったスーツを何着か持って上がって、お坊ちゃまに選ばせるよう言いつける。

シャワー室から飛び出してきたティアンは、母がアルマーニのダークグレーのスーツを持っているのに気づく。他のスーツもベッドの上にずらりと並んでいた。

「母さんはこれが礼儀正しくていいと思うの。新郎は軍人さんなのでしょう？　パーティーには上官の方々もたくさんいらっしゃるわ」

「どれだっていいよ……」

ティアンに意見はない。髪を乾かすのに忙しいからだ。

「ねえ、まだ母さん知らないんだけど、その新郎とはどういうお知り合い？」

ラリター夫人は前にも尋ねていたが、その時ははっきりした答えがなかった。まるで隠したがっているかのように。

ティアンは、鏡に映った母を見た。迷ったが、少し喋ることにする。

「軍医さんだよ。僕が暮らした集落の近くの基地にいた人で、それで知り合った」

「それはとっても親しかったんでしょうね。あれからもうずいぶん経つのにまだ忘れずに結婚式に招待してくれるなんて」

「色々助けてくれた人なんだ」

が、何を助けてくれたかは言わない。

「まだ覚えていてくれたなんて、僕も思わなかった」

おまけに、わざわざ彼の住所まで探し当ててくれた。

ラリター夫人はそれを聞いて、特に何も尋ねなかった。彼女はスーツ選びを手伝う。クリーム色のシャツを合わせ、えんじ色のハンカチーフを三角に折り、スーツの胸ポケットに入れて終了。それから、よく見て確認する。きちっとした格好の末息子に、ラリター夫人は大変満足した。

「早く行った方がいいわ。車が混むから」

ティアンは体を伸ばし、支度を手伝ってくれた母親に感謝の抱擁をする。そして急いで自分の車に戻る。それは使用人がぴかぴかに磨き上げてくれていた。

バンコクの夕方の道路を行くのは、思っていたより時間がかかった。あちこちの信号に細々と引っかかり、それだけで一時間だ。時計に目を落とし、すっかり不機嫌になる。受付の時刻を完全に超えていた。四つ角の信号がちょうど青に変わる。革靴の足が痛かったが、なんとかアクセルを踏む。

会場はプラナコーン界隈、王宮近くのホテルだった。それで、古式ゆかしい装飾がされていた。実に美しいとティアンは思った。

車をホテル前の駐車スペースに停める。エントランスホールを歩いていくと、シルクの衣装を纏《まと》ったマダムや紳士が談笑しているのが見え始めてきた。彼女たちがちりばめている宝石類がきらきらと光を反射して眩しく、思わず目を細めてしまう。

奥のボールルームから、クラシックの演奏が流れ出している。入口にアーチが作られていて、白い花々に青を挟み込んだ装飾はドーム型の曲線を描いていた。新郎新婦はどちらも医師なわけだが、衣装は華やかな甘いスタイルではなく、シックな豪華さのあるもので、二人によく似合っていた。

全てのゲストたちの中でも、グレーのスーツ姿のすらりとした姿はとりわけ目立った。卵形の顔はセットした髪に引き立てられ、まるでファッション誌から抜け出してきたかのようで、誰もが振り返らずにはいられなかった。ワサン医師も顔を上げ、はっとする。それから、満面の笑みを広げ、礼儀も構わず主賓たちのところから抜け出してくる。

新郎が一人の青年に飛びついて抱擁したので、パーティーの出席者たちはびっくり仰天する。

……まさか、これって花婿略奪？　我に返ったカメラマンが慌ててシャッターを立て続けに押す。ひょっとするとスクープで雑誌社に売れるかもしれないと思っているのだ。

「ティアンくん。来てくれるとは思わなかったよ」

「ドクター・ナーム、離して下さいよ。他の人に恥ずかしくないんですか」

ティアンは衆人の注目の的となり、苦虫を噛み潰したような顔をする。

ワサン医師は喉の奥で笑いながら、言われた通りにした。そしてわざとらしく目の前の人を頭から爪先まで観察し、冗談めかして言う。

「……こりゃ、前にも増してハンサムだな。親友が目を付けちまいそうだ」

口から出まかせのからかい文句に過ぎなかったが、ティアンの心には重く響いた。淡いブラウンの瞳が細波《さざなみ》のように揺れる。薄い唇がきつく結ばれた。あらゆる感情を漏らすまいとするように。

ワサン医師はその変わり様を見て、長いため息を漏らす。

「今日は〝彼〟に会いたくて来たんだろう？」

ティアンは何も答えなかった。ワサン医師は黙ってゆっくり首を横に振った。二人の言いたいことは暗黙のうちに通じた。

「昼の結納式と聖水の儀式に来たよ。さっき、チエンラーイに帰っていったばかりだ」

ティアンはそれを聞き、静かに瞼を伏せた。こんな風に忘れられたみたいにされて、どうすればいいのかが分からない。

「……今夜、僕が来るということを知らなかったせいでしょうか」

ティアンの口から出た声はひどくかすれていた。

ワサン医師は驚き、慌てて元ボランティア教師の両肩をぐっと握り、友人に代わって弁解する。

「もし、ティアンくんが今の今まで思ってくれていたと知ったら、あいつ、ぜったい、すごく喜ぶと思うよ」

ティアンは息を深く吸い込み、自分を一生懸命に慰めてくれようとする相手に無理して微笑みかけてみせる。

「嬉しいだけで、会いたくはないんでしょう。……ドクター・ナーム、代わりに言い訳してくれなくていいです。マジで言い訳になってないっす、よ」

ティアンは冗談めかした若者口調で言った。無理して明るくしているのが分かるので、ワサン医師は困って顔を上向け、首筋をぽりぽりかいた。と、ちょうどその時、新婦が現れた。

「二人とも、どうしたの？」

「何でもないです。ただ話してただけで」

ティアンの方が答える。話が長いので新婦が何事かと疑っているようだったからだ。

「……パーティーの方に行ってきますね。今日は、おめでとうございます」

「待てよ、ティアンくん。自分の電話番号、教えておけって」

ワサン医師はそう言い、会場前の記念品を配るテーブルから紙とペンを取ってくる。

ティアンは特に何も考えずに教えた。……どうせ山から連絡などできやしないのだ。

新郎は新婦に文句を言われながら引きずられていき、花のアーチのところでのゲストの出迎えに戻った。ティアンは、ワサン医師が尻に敷かれているのを見て含み笑いした。

八時ちょうど。新郎新婦入場の時刻だ。ボールルーム内での披露宴が始まる。白の正装の尉官らがグースステップ行進をして会場中央に列を作った。彼らは腰に提げたサーベルを一斉に抜き、アーチを作る。

スポットライトが新郎新婦に当たる。二人は寄り添い、夢の中の映像のように緩やかな歩みでサーベルのアーチを潜る。ティアンはオレンジジュースのグラスを掲げて立っている。そういえば、プーパー隊長が通常の軍服を着ているところは見たことがなかった。戦闘服でなければ、緑がかったカーキ色の丸首Tシャツを着ていた。その上、いつもトイレを我慢しているかのような苦い顔ばかりしていた。

ティアンは戯れに想像してみる。あの人がこういう服装をしたら、どんなだろう。大柄で長身、肩幅が広く、脚が長いから、格好良くて女の子たちにかなり振り向かれるだろうな。

が、不運なことに、そいつは女性が好きじゃない……。

ティアンはちょっと可笑《おか》しくなった。だが、それも一瞬のことで、微笑んでいた唇がだんだんと真一文字に変わっていく。思い返せば思い返すほど、共に築いた数々の思い出がはっきりと鮮やかによみがえってきて、まるで昨日のことのように感じられてしまう。ティアンは落ち着きなく体を揺らす。細い指でオレンジジュースのグラスを掲げ、司会者の掛け声に合わせて新郎新婦に祝意の乾杯を捧げ、一気に飲み干す。

ティアンは空のグラスをテーブルに返すやいなや、体を翻してゲストたちに背を向け、パーティー会場を抜け出した。だが、まだ車には戻らない。目的もなくただホテル前の歩道に沿って歩き続ける。

サンティチャイプラカーン公園には、かつて都を防御した要塞が立ち、前方に見える偉大な建築物をライトアップして際立たせている。ティアンは悶々としながら惹き寄せられるかのようにそちらへ向かっていく。

片手でネクタイを緩める。もう片方の手には馬鹿みたいに高価なスーツのジャケットを持っている。その細い身体を路上の観光客や近所の人たちが、奇妙なものでも見るかのように凝視する。顔は虚ろだ。歩く様子もよろよろしている。おまけに、真っすぐ行けば公園裏に隣接するチャオプラヤー川だ。変な気を起こして自殺したりしないだろうか、と通りがかりの人たちがじろじろ見ていく。

ティアンは心身とも力を失って、長いベンチに崩れ落ちるように座った。それはバンコクの主流、チャオプラヤー川を向いている。そよ風が水面の涼気を吹き上げ、顔の滑らかな肌に触れて、少し気持ちを軽くしてくれる。ティアンは肺いっぱいに息を満たし、少し向こうのラーマ八世橋に目を向けた。

ベンチの上にだらりと垂らした手が、何か硬い一枚の紙に触れた。おそらく、誰かが捨てていったバンコク周遊ガイドのパンフレットだ。ティアンは手ずさみにそれをつまみ上げた。が、その表紙に飾られた写真に目が釘付けになってしまう。

二体の、鬼の像だった。ラーマーヤナのタイ版であるラーマキエン物語に出てくるその鬼は、暁の寺、ワット・アルンの入口を護るべくどっしりと構えている。パンフレット写真の鬼は、人寄せに作られたレプリカで、本堂の鬼よりずっと大きい。巨大過ぎて可笑しいので、ティアンはかつて笑って眺めたものだった。

ティアンの中で壁がばらばらと崩れ落ちていく気がした。それは、自分は強い、と思い込むために今までずっと築いてきた防壁だった。彼はパンフレットをきつく握り潰し、地面に落とすと、両手で顔を覆った。肩先が小刻みに震える。心の傷はすっかり癒えたと思っていたのに、痛く苦しく、再び亀裂となりつつある。

「なあ……僕は、このあと何年も留学に行かなければならないんだ」

ティアンは風に囁《ささや》く。その言葉を、遥かずっと遠くのあの心冷たい人の耳まで届けてくれるかもしれないから。

……一言、〝会いたい〟とあなたに言ってほしい。

そうすれば、僕らの平行線は、きっともっと近くに寄るのに。

最終学年の期末試験も無事に終わった。同学年の友人たちは嬉々として卒業手続きをしている。あと二、三カ月したら、学位が取得できる。だが、ティアンは学位授与式の日に出席できそうもなかった。というのも、アメリカの大学から合格通知が来て、入学できることになったからだ。英語能力テストの点数を提出した結果、条件として、まず一タームの基礎語学コースを修得し、それから修士課程に進めることになっていた。

ティアンはアメリカ行きの服を選び、積み上げている。母親はベッドに座り、必要そうなものだけを取り分けてメイドに渡す。絨毯に座ったメイドは、畳んで旅行鞄に入れている。

「もっと厚いセーターも持っていった方がいいんじゃないかと思うわ」

「今は暑いんだって。持っていったって、無駄に鞄が重くなるだけだ。あっちで買うよ」

ティアンはあまり細かいことを考えない。身軽に行ければそれでいい。

「一着か二着、持っていきなさい。まだ肌寒い日もあるんだから、あれば困らないもの」

ティアンはどっちでもいいというように肩をすくめる。その時、電話の着信音が鳴った。画面にドクター・ナームの名前が表示されている。前にも結婚式のお礼でかけてきていて、彼のことをあれこれ尋ねていた。が、ティアンの方からあの鬼軍人のことを尋ねると、元気だ、心配するな、と言うだけで話を逸らしてしまう。ティアンは母親の方を窺った。洋服を揃えるのに夢中になっている。それで、部屋の外へ出て静かに話すことにした。

ラリター夫人は、途中で出ていってしまった息子の代わりに服を探してあげようと、クローゼットを開けた。すると、一番奥に押し込められたリュックに目が留まった。

ラリター夫人は、そのリュックから変な刺繍のある服の裾が覗いているのに気づく。そして悪気もなくリュックを取り出し、開けてみる。中にあったのは山岳民族の織の衣装だった。しかも一着ではない。引っ張り出してみると、まだ他に三、四着も出てくる。あの趣味にうるさい息子が、こんな衣装を着る気になるなんて信じられない。

ともあれ衣装は元通りに収めたが、その時、甘い色の漉《す》き紙のノートがリュックの仕切り部分に隠されているのを見つけてしまった。好きな女の子でもいるのかと怪しみながら、ノートを抜き取る。表紙には切り紙の文字で『千の星の物語』とあった。どう見たって明らかに女性の日記の類だ。

が、最初のページを開き、彼女は心臓が止まりそうになる。そこに記された名は、ミス・トーファン・チャルーンポンだった。何があっても絶対に忘れるはずがない名前だった。彼女と夫は、二年前、その女性の家族に会って、御礼金を渡してきたのだから。

あの〝心臓〟の本当の持ち主。

ラリター夫人は経歴を調べ上げていた。トーファンは僻地の山奥でボランティア教師をしていた。そして、ティアンは家出をし、同じ場所でボランティア教師になった。これまではただの奇跡的な偶然としか考えていなかった。だが、この手に握った証拠から、彼女が完璧に思い違いをしていたことが分かる。

……この世界に起こる全ての物事には必ず因果があるのだ。

今すぐ外にいる息子を呼びつけて問いただしてやろうと夫人は考える。が、それは得策ではないと無意識が告げる。ティアンは、そんなことをされたら気に入らなくて、またあの山へ帰ろうと考えるかもしれない。あんな危険極まりない国境地域にまた住むなんて、母親としてどうしても耐えられない。ある日突然、電話が鳴って、あなたの息子さんが怪我をして入院していますと言われるなんて、絶対にもう嫌……。

ラリター夫人は疲れ果てた気分で柔らかなベッドに座り込む。彼女自身、日々、齢を重ねている。上の息子は行く末頼もしい軍人となり、嫁も妊娠していてもうすぐ英国で出産する予定だ。真ん中の娘は結婚したり離婚したりではあるけれど、まあ自分で何とかしている。問題は、末の息子一人だけだ。

兄や姉と十歳も歳が離れているので、彼女も上の子たちより甘やかしてしまった。その上、不幸にも心筋炎にかかり、心配がさらに倍増してしまった。

だが、ティアンが自ら家を出たあの事件で、彼女は学んだことがある。

〝親とは、命を与えるだけの存在だ。その未来を決めるのは子の権利である〟

そうはいっても、やはり、ラリター夫人は自分が正しいと思うあるべき道を末の息子に歩んでほしいと願う。彼女はもう必要のなくなった日記帳をゆっくりと閉じた。この件をほじくり返すのはやめ、何も言わないことにする。が、日記帳をリュックにしまおうとした時、一枚の写真が滑り落ちた。

後ろ姿の影。暗いが、目を凝らすと、国境パトロール隊の軍服だと分かる。

ラリター夫人のきちんと整えられた形良い眉がきつく寄る。トーファンの思い人か何かだろう、と彼女は考える。それで日記帳に挟まれていたのだ。しかし、少し考えて、一つの疑問が浮かぶ。

……息子は、あの山でこの人に会ったのかしら？

ティアンは二階のベランダで、遠い地にいるワサン医師と電話をしていた。彼は留学へ発つ日の予定を伝えた。ワサンを介して、知らせがあの人の耳にも届くことを期待しているのだ。が、隊長がどうしているかと尋ねると、笑い声が返ってきて、予想通りの答えを言われてしまう。

「心配ない。元気だ。奴は奴で努力してるよ」

その言葉で一体、何が分かるというのだ。

通話を終え、家の中に戻ると、ちょうど父親とすれ違った。

「母さんは？」と、父親のティーラユットは訊いた。さっき、妻から息子の部屋に行くと聞いたばかりなのに、その息子がこんなところに立っていたからだ。

ティアンは、自分の肩越しに親指で後ろをさす。

「あっちの僕の部屋だよ。荷物を詰めてる。行く本人よりも熱心だ」

「母さんは嬉しいのだろうな。末息子がアメリカの有名大学に入ったと、今度の集まりでは全員に言いふらすだろう」

　ティーラユットは可笑しそうに喉の奥で笑った。が、本人は、浮かない顔をする。

「何が嬉しいんだ。まるで僕にタイにいてほしくないみたいだ」

　ティーラユットはそれを聞いて少し黙った。それから、小声で言う。

「時間はあるか？　部屋で父さんと話そう」

　父親とは一度、ティアンが山から下りたばかりの時に腹を割って話をしていた。人に命令し慣れた軍人なので表現は堅苦しかったが、父親が自分のことをどれほど愛しているかがしみじみ伝わってきた。自分の決断を一番に理解し、尊重してくれた人だとティアンは思っている。

　ティアンは、分かったという代わりに頷き、自室とは反対の方、邸の右ウィングの奥にある書斎へ向かった。大きな木の机を挟んで、父親と向かい合う。ティーラユットは、引き出しの鍵を開けていた。大型の封筒を出し、目の前に置く。

「何ですか、これは？」

　ティアンは封筒を開けてみて、驚いた。

「これらの手紙は、セーントーン財団から送られてきたものだ。が、お前の母さんは、もうあの山のことを思い出させたくないといってメイドに捨てさせていた。父さんが気づいた時だけ、取っておいてやったのだ。だから、全部揃っているわけではないがね」

　ティアンは手紙をじっと見つめる。山の小さな生徒たちが絵を描いて送ってくれていた。メッセージもある。〝クレヨン兄さん、あいたい〟〝いつ、兄さんはかえってきますか〟……。中でも感動したのは、アーイからの手紙だった。アカ族の男児は、前と同じような絵を描いていた。幸せな家族が、手を繋いでいる絵だ。

だが、今回、トーファンの立っていた場所に代わって描かれていたのは……自分だった。

手紙を見つめている末の息子の瞳には見どころがある、とティーラユットは思う。そして表情を柔らかくした。

「怒るなよ。母さんは、ただ良かれと思っていただけなんだ」

「今でも、子どもたちが覚えていてくれたなんて」

ティアンは真っ赤な瞳を父親の方へ向けた。

「でも、あそこがどんないい思い出に溢れていたとしても、この手紙だけで帰ろうと思ったりはしません」

抗議するような言い方だった。父親は少し考え込んだ後、やや前のめりになって真剣な声で訊く。

「お前は、今、幸せか」

その短い問いかけが、ティアンの心を揺るがせた。固く合わせた唇が小刻みに震える。溢れそうに渦巻く思いは、自ら築いた厚い壁の裏側に押し込めておく。

「父さんと母さんをもう悲しませたくないと思ってる」

「……それは、答えじゃない」

「父さん。僕は分からないんだ」

ティアンは心を乱したまま、山から送られてきた手紙の束に目を落とす。

「……今はまだ何も訊かないでくれるかな」

それを聞いて、ティーラユットは立ち上がり、正面に座っていた息子の方へ回り込んだ。そして形の良い頭に手のひらを載せる。

「お前の心の中に何があるのか、父さんは知らない。だが、覚えておいてくれ。お前がどんな将来を選んだとしても、父さんはいつでもサポートするつもりだ」

そういって父親は立ち去った。息子が部屋の中でゆっくり気持ちを静められるように。

ティアンは自分でよく分かっていた。ボランティア教師としてパンダーオの崖の集落に帰りたいという思いは、今、自分を苦しめている一番の理由じゃない。苦しいのは、あの人と交わした約束だ。僕は愚かだ。強い思いさえあれば、いつの日か、僕らの道が結ばれると思うなんて。

その〝いつの日〟が、もしも果てしなく遠く、先も見えないのだとしたら。

ティアンは、読んだばかりの散らかった手紙をのろのろと集めていく。

……苦しさに果てはない。

月日が過ぎるのは嘘みたいに早い。先週、ティアンは大学の同窓生たちとボルダリングに出かけ、夕方は新しくオープンした高級デパートを覗き、トゥンの野郎と食事した。そして今日はもう、留学へ出発する日になっている。

すらりと細い手が日記帳を掴む。トーファン……彼に新しい命をくれた女性の日記、それもリュックに入れる。人生のひとときに訪れた素晴らしい思い出の代わりに。

ティアンはお気に入りの赤いジャケットを引き寄せた。大きなスーツケース、それに機内に持ち込むキャリーバッグを引きずり、寝室を出る。両親は空港まで送るつもりで、すでにヴァンタイプの高級車の中で待っている。使用人が荷物を車の後ろに積み、ドアを閉めた。

車がゆっくりとポーチから滑り出す。ティアンはじっと俯いている。悲嘆と憂鬱とが固まって胸の中を渦巻く。それが爆発しそうなくらいにつらい。

「大丈夫よ。あちらに着いたらきっと楽しくって、ホームシックも忘れるわ」

ラリター夫人が息子の様子に気づき、慰めるように腕をさすった。

ティアンは答える代わりに薄い唇を少し微笑ませたが、空港に着くまでずっと黙りこんだままだった。午前の空港は、世界じゅうから押し寄せる旅行者で溢れ返っていた。ヴァンタイプのヨーロッパ車は、ぴったり入口扉の前に停止した。運転手がすぐにスーツケースを降ろし、主人とその家族も降りた。

ティアンは自分の鞄を積んだカートを押し、航空会社のビジネス・ファーストクラス向け特別カウンターへ行く。チェックインの手続きが済み、チケットを受け取ると、リュックを持ち、機内持ち込み用のキャリーバッグを引きずって両親のところへ戻った。すると、そこには子どもの頃から親しんできた二人も来てくれていた。


「こんにちは。ピターン小父さん」

ティアンは、父の親しい部下だった人に合掌して挨拶する。それから、もう一人の方を向く。

「テー兄さん、どうしたんだ？」

「どうしたって、お前を送りに来たんだよ。わざわざ特別に当直を代わってもらったんだぞ」

「そんな無理してくれなくていいのに」

……トゥンの野郎や大学の友達でさえ、わざわざ呼びはしなかったのに。

「そんなわけにはいかない。お前は何年も行くわけだから。勉強のこととかぶつくさ電話してくる誰かさんがいなくなると、耳がさみしくって困りそうだ」

ぴかぴかの駆け出し医が笑みを浮かべる。ティアンが夜中に電話してきてはしょっちゅう試験のことで嘆いていたのを思い出し、可笑しくなったのだ。

「アメリカは電話のカードがめちゃくちゃ安いんだよ。逃げられると思ったか？」

「どうぞご自由に、お坊ちゃま。テー兄さんは二十四時間スタンバイしておりますよ」

テーチンはそう言ってから、この弟代わりへのスペシャルプレゼントを用意していたのを思い出した。彼は写真立てを出して、渡す。

「……悪いな、二年も遅くなった。携帯電話が壊れて、写真が全部消えちまったんだ。が、外付けフラッシュドライブに入れてたのを思い出してね。ラッキーだった」

ティアンは、何のことか分からないまま受け取る。が、それに目を落とした瞬間、目が燃えるように輝いた。それは普通の写真立てではなく、デジタルフォトフレームだった。データファイルを入れておけば写真が次々と入れ替わり、循環していくようになっている。今、映っている写真は、彼が山の集落から下りてくるシーンで、子どもたちと村人が皆で送ってくれているところだった。

小さな四角い枠の中にぎっしり詰め込まれた愛と友情は、長い月日の流れた今でもはっきり心で触れることのできるものだった。ティアンはこれらの写真の中に、ある人の影が見えないかと探したが、見つかったのは無に過ぎなかった。

テーチンはそっと微笑みながら、目の前の細い肩を叩く。

「この素晴らしい思い出を取っておいてほしい。くじけそうな日にも励みになるように」

一方、ラリター夫人は息子の様子が変なことに気づいていた。あの山の集落の写真を収めたフォトフレームを無心に抱いているばかりなのだ。彼女は慌てて注意する。

「……お喋りはそのくらいにしておかないと。搭乗時刻になってしまうわ、ティアン」

ティアンは深呼吸し、鼻先にしみ出した鼻水を拭う。家族たちと歩き出し、最初の保安検査場の前まで来た。

「ここまでだから。向こうに着いたら、すぐ電話するよ」

ティアンは体を伸ばして今日見送りに来てくれた全員に感謝の抱擁をした。

キャリーバッグを引き、先へ少し歩く。そしてゆっくりと最後に振り返る。父さん、母さん、ピターン小父さんにテー兄さん。皆、そこに立って別れの手を振ってくれている。だが、ティアンの目は、そこからずっと遠くのもう一人の人を見つめていた。

……もう行くよ。

パスポートとエアチケットを取り出し、係の人に見せた。その時、電源を切り忘れていた携帯電話が鳴った。ティアンはちょっと躊躇する。放っておくべきだとは思う。先にやることを済ませるべきだとは思う。が、彼の手はそれに反し、パンツのポケットから携帯電話を取り出していた。画面には、未登録の番号。それでも彼は通話ボタンを押す。

「もしもし」

ちょっと待ったが相手の返事はない。ただ、雑音だけが聞こえる。電波があまり良くないらしい。

ティアンは眉間を寄せる。間違い電話かもしれない。が、携帯電話を耳から離そうとしたその刹那、一人の人が彼を呼んだ。

「ティアン」

低く、重々しく響く声が微かに聞こえ、ティアンの進みゆく世界がばらばらと崩れ落ちる。

周りのありとあらゆるものが動きを止め、ティアンの体は茫然と立ち尽くす。固まってしまった唇を動かすことができるまでに、果てしなく長い時間がかかった。

「隊長……」

息子の異常に最初に気づいたのは、ラリター夫人だった。彼女は慌ててそちらへ向かう。他の人もそれに続く。が、ティアンの傍まで行った時、誰も声を発することはできなくなってしまった。

……滑らかな肌の上の顔にはどんな感情も浮かんではいなかった。だが、その美しい一対の瞳は、透き通った滴をとめどなくこぼし続けていた。ティアンは小さな携帯電話を耳に押しつけたままだ。まるで、人生で一番大事な瞬間を待っているかのように。

「良い旅を」

電話の相手はありふれた言葉で祝福した。けれども、ティアンがこれまで築き続けてきた強さという防壁を破壊するのにはそれで十分だった。

「これまで……二年……あなたが僕に言うことはそれだけかい……」

ティアンは途切れ途切れの声に、今にも溢れ出してしまいそうな思いを込める。

隊長はしばらく黙っていた。そして、これまで言わずに耐えていた思いをさらけ出す。

「君に会いたい」

まるで今ここで、あの人が耳元へ囁いてくれたかのようだった。その一言が耳に届いた時、空港の中を静かに佇んでいたティアンは、身を投げ捨てるように慟哭《どうこく》した。溢れやまぬ涙は決壊したダムのように滂沱《ぼうだ》と流れる。あらゆる感情が爆発したように飛び出す。悲嘆、愁傷、そして、愛。だが、もうそのどれにも意味なんてない。

……ただ、待っていてくれただけで十分だ。

顔をぐしゃぐしゃにして号泣する端整な顔立ちの青年を、周りの人たちが何事かと眺める。が、本人は気にしてやいない。ティアンはさらに、電話口にはっきりしない声を吹き込もうとする。あちらの電波が悪かったらしく、回線はもう途切れてしまったというのに。

「隊……隊長。そこで……待って……」

ラリター夫人がおろおろして息子を抱き抱える。彼女は電話してきたのが誰なのか知らない。が、分かるのは、ただ、ティアンの心に限りなく大きな作用を与えている誰かだということだ。

「泣かないの。泣かないで……何があったか、母さんに言って頂戴」

「母さん。ごめんなさい……」

なぜ謝るのかも分からず、ラリター夫人は質問を変える。

「隊長って誰なの？」

だが、ティアンはもう何も聞いていないように見える。ただ頭の中で今からするべきことを素早く考えている。ティアンは息急き切って父の方を振り向くと、揺るがぬ決意を伝える。

「父さん。僕は行けません」

ティーラユットは息子の腫れた目を見る。そこにははっきりとした意志が見て取れた。父親はひどく長いため息を吐き出す。安心したせいなのか、それとも心がさらに重くなったせいなのかは分からないが……。

「ならば、その気がかりを全て整理してこい。そして、帰ってから話そう」

ティーラユットは相手が部下であるかのように命令を下す。

「すると決めたら後悔するな。分かったか！」

最後の厳しい口調はあの山の鬼軍人のようで、ティアンは思わず笑い声を立てる。頬の涙を拭い、こちらも負けずに軍人の息子らしく、敬礼で対抗する。

「了解であります！」

それから、唖然としている母親の方へ向き直る。ティアンはふくよかな手を取り、言う。

「……がっかりさせてごめんなさい。母さんのことは心から愛しています」

ラリター夫人が口をあんぐり開けている間に、ティアンは鞄を引きずって走り去ってしまう。

彼女は後ろから呼ぶが、もう間に合わない。代わりに、息子の行為を許した夫に詰め寄る。

「これはどういうことですの、あなた！」

「あいつは行き先を変えただけだ……」

ティーラユットはのんびりと、だが重々しい声で答える。妻は怒りに顔を赤くする。

「つまり、あの鄙《ひな》びた山にまた行くわけでしょっ！　あたしは許さないわ。あの子をあの山から引き離そうとあらゆる手をあたしは尽くしたのよ。それなのに、あなたがあの子をそそのかすだなんて。もう知らない。あたしがあの子を追いかけて連れ戻すんだからっ！」

ラリター夫人は、本当にティアンを追いかけようとする。が、元上官に視線で命じられたピターン大佐が速やかに阻止する。

「落ち着いて下さい、マダム。人に見られますよ。とにかく、我々は家で話した方がいいと思います」

「その頃にはティアンはチエンラーイに着いちゃってるじゃないの！」

誰も彼女の言葉通りに動いてくれないので、ラリター夫人は拳を握りしめる。悔しさに涙まで溢れる。

「みんな、どうしてよ。まるであたしがあの子に意地悪してるみたいじゃないの」

ティーラユットがさっと歩み寄り、彼女の肩を抱いてなだめた。

「……誰も君のことを悪くなんて言わないよ」

「あたしはただ、あの子を愛しているだけなの。あの子の将来を考えているだけなのよ」

ラリター夫人は厚い肩に顔を埋め、泣きじゃくる。そして結局、夫に引っ張られるように従っていった。彼らのヴァンは、元の出口扉のところに来て待っていた。

ティーラユットが自らドアを開け、妻をシートに座らせる。自分も続いて乗り込みながら微笑みかけ、駄目押しの一言を言う。これには妻の意地も静かに敗北するしかない。

「あいつが手に入れた新しい命をどう使うかは、あいつに選ばせよう。奇跡というのは、得てして一度限りしか起こらないものだからね」

ラリター夫人はぷんと唇を曲げる。が、心の底では、それに賛成する気持ちが少なくなかった。これまで彼女はただ強情を張りに張っていただけだった。それに、この性格はすっかり末息子に伝わってしまっているのだから、彼女も諦める他は仕方がない。

「分かりました。いつか、あの子があたしの気持ちを分かってくれるものと思うことにします」

諦めはするが、あてこすることは忘れない。

ピターン大佐とその息子が率先して航空券のキャンセルと鞄の返却手続きをやってくれているので、それについては心配ない。

ソーパーディッサクン家までの帰途、ラリター夫人は心に引っかかっていたことを思い出し、隣に座る夫に尋ねてみる。

「あなたは、あの子が〝隊長〟と呼んでいた人をご存知なんですの？」

「おそらく、ティアンの山での生活の面倒をみるよう命じられていた奴だろうよ」

「でも、その人が電話してきて、あの子は泣いて留学に行かないと言い出したのですよ……」

二人の間に静寂が流れる。そして、妻の方が正気に戻ると、あらん限りの声で叫ぶ。

「あなた！　あたしはもう倒れそうです！」

チエンラーイ県までのフライト時間は僅か一時間強だ。ティアンの体はまだ機上にあったが、心はもうずっと前からその場所に着いていた。彼は窓の外に浮遊する白雲をぼんやり眺める。ひそかな不安はいくらでもあった。両親に対してはこんな決断をしたことを悪くは思うが、それでも半分は気を楽にすることができた。少なくとも、一度帰って卒業し、学士号を取得して彼らの期待には応えたのだ。

あちらに到着したら、山の村人たちは前と同じように彼を歓迎してくれるだろうか。もう二年以上も経っているのだ。

ティアンは窓ガラスに額を寄せた。氷点下の外気の冷たさが肌にしみ渡る。号泣して腫れ上がった瞼をゆっくりと閉じていき、頭を休める。それにしても、大衆の面前であんな子どもみたいな大騒ぎをしたのだ。もしどこかの誰かが動画でも撮影していて、ウェブサイトに公開されたりでもしたら、バケツでも被って顔を隠さなきゃならないだろうな。

……これも、あなた一人のせいだ。鬼隊長め！

心の中であの人をあれこれと責めてはみても、不思議な幸福感で薄い唇は自然に笑みを浮かべてしまう。あと何時間もしないうちに、二人の平行線は再び重なることになるのだ。

午後遅いチエンラーイ空港の到着ロビーには、家族や親類を出迎える人々が溢れていた。ティアンはいつものリュックに小型のキャリーバッグだけの荷を携行し、熱気をかき分けながら、チャーターする車を探す。山の集落まで行く車だ。長い交渉の末、山に登ってくれるというピックアップトラックが見つかった。

「お客さん、あの集落へ何しに行くんですかい？　えらく遠いですよ。電気も通っていないです」

運転手が尋ね、曲がりくねった尾根に沿ってハンドルを切った。

「友達がいるんです」

ティアンは短く答える。が、頭から爪先まで舐めるように、好奇心に満ちた視線を浴びてしまう。身に付けているあれこれが高価な良い物だとは田舎の人にでも分かる。こんな身分の人に山岳民族の友達なんかいるかと思われているのだ。

「そこでボランティア教師をしていたんです」と、情報を付け加えれば、今度は運転手は奇妙なものを見る目つきになる。ブランドの服を着た人が田んぼを散歩？

それでティアンは会話を諦め、外の景色を眺めた。

二時間以上かけ、平凡なピックアップトラックが小さな分岐路に到着する。国道局の古ぼけた標識があり、パンダーオの崖の集落への矢印が示されている。ティアンは自分の荷物を降ろし、交渉通りのチャーター料金を運転手に支払った。車の影はすぐに遠くへ消えてしまい、ティアンは一人、ぽつんと取り残される。

人が森を切り拓き、集落への入口として作った狭い紅土《こうど》の道は、今もでこぼこで、歩きにくいことに変わりはない。が、現在の彼は二年前ほど弱くはない。道が窪みだらけで引きずれないキャリーバッグを抱え上げて丘を登ることも楽にできるようになった。

黄昏《たそがれ》。谷の中ほどにあるパンダーオの崖の集落では、変わらぬ日常が続いていた。カマーのビアンレーは麦わら帽子を脱ぎ、ズボンに叩きつけて埃を払う。茶畑での作業から帰ってきたばかりだった。今日は仲買人が商品の買い取りに来たので、村人たちが騙されないよう監視に行っていたのだ。とはいえ、あの破天荒なボランティア教師が子どもたちと村人に数を教えてくれて以来、搾取されることはぐんと減った。

ビアンレーは寂しげなため息をつく。……もう何年にもなるが、どうしていることやら。今頃はもう卒業して就職していなさるだろうな。

その時、背後で重い物を置く音がした。ビアンレーは振り向き、びっくりして細い目を大きく見開く。これは、白昼夢というものか。

「ティアン先生！」

首都の青年が目の前に立っている。今も記憶に違わず目の眩むような美青年だ。いや……生き生きして、健康になったようだ。もう青白くもないし、がりがりに痩せてもいない。ティアンは敬意を込めた合掌をする。逆にビアンレーの方が嬉しくて礼を失し、歩み寄って固く抱きしめてしまう。

「これはどういう風の吹き回しですかな」

ティアンはきまり悪そうな顔をし、ぎこちなく首筋を撫でる。

「……急に決心したものですから、予め誰にも言っていなくて。図々しいお願いなんですが、おじさんの家に泊めてもらえないですか」

ビアンレーは大きな声で笑い、機嫌よく彼の腕をぽんぽん叩く。

「ずっといて下さっても結構ですよ、先生。わしの家もこの集落も、いつでも大歓迎です」

遠方からの訪問者は笑みを広げる。これこそ偽りのない友愛だと心が満たされる。

「ですが、教師宿舎も空いておりますよ。前のボランティア教師が二カ月前に帰って、まだ誰も来ておりませんのでな」

「僕は教師として来たわけじゃないんですが、泊まれるんですか」

ティアンは遠慮がちに言う。が、他人の家族の世話になるのはもっと気が引けるとも思う。

「ひとまず使って下さい。明後日、わしは県の会議で町へ下りますのでな、その時に財団に電話して話しておきますよ」

ティアンは、心にしみ入る思いで再び感謝の合掌をする。それから、ビアンレーは、集落末端のしばらく誰も住んでいなかった宿舎まで歩いて送ってくれた。

新しい人が住む予定はなかったので、ちっぽけな竹造りの小屋は汚れたまま放置してあったが、運良く、蚊帳《かや》とマットレスはきちんと畳まれていて、すぐ使える状態になっていた。

毎晩コオロギの声を聴きながら、ひとときを暮らした場所だ。懐かしい思いでぐるりと眺め渡す。電気はない、テレビもインターネットも、便利な機器は一つもないけれど、ここにある思い出はどんなものより価値があると思う。

「先生は身の回りの片付けなどしていて下さい。今、必需品はわしが揃えて参りますのでな」

今も壊れたままの竹の梯子段の下から、ビアンレーが大きな声で言う。

ティアンは窓から顔を出し、大声で返事をした。そして部屋の中に向き直り、埃だらけのマットレスを引き出してきて叩いてから縁側に干しておく。そこには微かな陽光がまだなんとか差し込んでいた。座って小型のキャリーバッグから洋服を取り出す。メイドが詰めたそれを見ると、服が三、四着に、未開封のボクサーパンツのパックがあるだけだった。

ふむ……。洗濯だな。技を活用しないと、教えた奴がまた拗ねるからな。

ティアンは一人でくすりと笑った。内心、今すぐにでも基地に走ってあの誰かの顔を見たい思いなのだが、我慢しておく。もうここへ着いたのだから、遅かれ早かれ会えることは決まっているのだ。が、その時、ティアンの背筋にぞっと冷たいものが這い上る。ある一つの可能性に思い至ったからだ。

プーパー隊長はどうして電話ができたのだ？　山に電話はない。電話のためにわざわざ町に下りたと考えるのも、無理がある気がする。

……よもや、他の場所に転属した？

ティアンはぶんぶんと頭を振り、ネガティブな思考を払い退けた。心の奥底ではあの約束を今も信じているのだ。いつものリュックを引き寄せ、他の必需品は何が入っているのかを確認する。目に飛び込んできたのは、そこに静かに横たわっている甘い色の日記帳だった。

……これにも、完全に片を付けてしまわないとならない。

ティアンは日記帳を掴む。自分の人生を百八十度ひっくり返した発端のノートだ。彼はそれと共に外へ出る。山際の夕陽は、橙色へと変わりゆく光を空に広げていた。湿った涼風が豊かな森林から流れてくる。それは、茶畑の奥へと歩くティアンの身体を柔らかく撫でていった。自然の樹々や草の葉の鮮やかな緑はとても美しく、不安な心を不思議と慰めてくれるようだった。ティアンは高い崖へ向かって丘を登る。懐かしいこの集落と同じ名の付いた崖へと。そして、かつての彼がただの伝説に従って愚かなことをやった高台で、足を止める。

ティアンは軽く笑い声を立てる。まあ、九百九十九個まで数えたことにしておくか。

彼は手頃な大きさの木の枝を探し、膝を付いて崖の際に近いところの地面をせっせと掘る。十分な深さの穴ができると、彼はトーファンの日記帳を取り、最後のページを開いた。

……永遠に途切れたままの文字。

ジャケットのポケットに挿してあったボールペンを取り、細い指でその続きを書きつける。

〈僕の新しい人生をありがとう〉

その瞬間、左胸の心臓が早鐘を打った。あたかも声なき返事のように。ティアンは甘い色のノートをそっと優しく穴に横たえる。

……安らかに眠れ、トーファン。

手で土をかけ、元通りに埋める。泥まみれになるのも気にせず。その時、目の端に大きな影が映り、沈みかけた陽光を完全に遮った。美しい瞳に、泥土ですっかり汚れた黒い革靴が映る。目を滑らせていくと、頑丈な長い脚を包む布のズボン。視線は、彫りの深い顔の上で止まる。眉間に皺《しわ》を寄せていて、暁の寺の鬼よりももっと気難しい顔つきだ。

「来るだろうと思っていた……」

低い声の持ち主が唸りにも似た静かな声で言った。だが、驚いた顔をして地面に膝を付いているティアンの姿を見ると、なぜか怒れなくなってしまう。

ティアンは息をするのも忘れたようにぱっと立ち上がる。淡いブラウンの瞳を見開き、大きな長身の男を見つめる。緑がかったカーキ色の半袖の軍服、襟には紋章と部隊章、胸の略綬も完璧だ。足りないのはソフト帽を被っていないことくらい。

小さい時からずっと、父の部下たちが軍服姿で家に出入りするのを当たり前のように見て育ってきた。が、この人の纏うそれほど見事な逞しさを感じたことは一度もなかった。

運命の心臓が今、どくどくと鼓動している。強く……そしてさらに強く。

まるで、再び恋に落ちたかのように……。

プーパーは、集落からこの崖まで真っすぐ走ってきたのだった。くたびれ切って大きな息を吐く。ほっとする一方、相手がまたも無分別なことをしたことに腹立ってもいる。心を決めてティアンに電話をかけた時、彼は、重要な式典があって市内のメンラーイマハーラート基地にいた。

ところが、電話の向こうからは世界が崩壊したんじゃないかと思うくらいの号泣が聞こえてきた。そして回線が途切れてしまった。プーパーは慌てて、中隊の上官一同への非礼も顧みず夕方のパーティーを断り、急いで山に飛んで帰ってきた。

「……どうしてこうも熱心に事を起こしてくれるんだ」

プーパーはおっかない口を利いた。その刹那、かけられていた魔法がぱっと解け、我儘お坊ちゃんもむっとして睨み返す。

「……ついうっかり、あなたが喜んでくれるものと思い違いを」

「喜んでいる。が、君はこんな風に自分の将来をめちゃくちゃにするべきじゃない」

「これが僕の選んだ将来なんだって。あなたの元へ帰ると、僕が選んだんだ！」

逆上されて怒鳴りつけられたにもかかわらず、この一言で、プーパーは言い返せなくなってしまう。心ひとつに強く刻まれたその言葉以外は、もう何も耳に入らない。ティアンの言葉が心にしみ入り、瞳から険しさが薄れる。

「あと何年でも私は待った」

涼風が吹き抜けた。ティアンは小さく笑みを浮かべ、ゆっくりと首を横に振る。

「……でも、僕は待てない」

希望もなく待つことなんて、もう耐えられない。

プーパーは息を深く吸い込み、空を見上げた。薄闇に包まれ始めている。

「ということは、君は最後の星を見つけたんだな」

あの時の自分の馬鹿らしさを再度見せつけられたかのようで、ティアンは顔を曇らせる。もし見つけていたなら、こんなに長く待ち続けることもなかっただろう。ティアンが思いに沈んでいる間、空を見上げていた人は柔らかな声で言う。

「……私は見つけた」

プーパーは空にあった視線をゆっくりと下ろし、自分の肩の階級章を一つ外した。金色の王冠の下に五芒星がきらめいている。王冠に星一つの階級章は少佐の印で、それはプーパーの階級が一つ上がったことを示していた。プーパーはそれをティアンの泥まみれの手のひらに載せ、体を寄せて耳元へそっと囁く。

「もう一度願ってごらん」

手の上の星の重みはあまりに偉大で、全身が震える思いがした。一対の美しい瞳の中を透き通った滴が溢れ、滑らかな頬を濡らす。

「僕らが……もう……離れずにいられますように」

「離れない。永遠に」

プーパーが力強く言う。今度の願い事は自ら叶えてやろうと思う。プーパーの唇に、限りなく温かで優しい微笑みが浮かんだ。

ティアンは、このおっかない隊長に飛びついてきつく抱きしめる。待ち続けるのはもう終わりだ。頭を厚い肩に預ける。たった今、誰かさんにあげてしまって名誉の階級章がなくなったばかりの方の肩に。そしてそのままじっとしていた。

「もし僕が留学に行って、帰って来なくても、あなたは本当に僕を待つのかい」

プーパーは、誰にも渡さないというように愛する人へ腕を回し、答える。

「……待つ。どんなに長くても、待つ」

「どうして僕を追いかけようとは思わないんだ?」

抗議するかのような言い方に、若き隊長は少し黙る。険しい目が悲しげに下を向く。

「ティアン。何でも思い通りすぐにできるというわけじゃない。が、私も最大限の努力をした」

……二人の距離を縮めることができるように。

〝努力〟というのは、ドクター・ナームが電話してきた時に必ず聞いていた言葉だった。何か気になる、とティアンは思う。それは一体、どういう意味だ?

あるいは……。

手の中の階級章に付いた星のバッジの尖った感触に促されるように、ティアンはふとハイスクール時代の出来事を思い出す。当時、ティアンの兄は少佐になったばかりで、陸軍幹部学校の入試のための勉強が大変だとぼやいていた。だが、陸軍幹部学校で知識を蓄えることは、将来のチャンスを築くことになるのだと兄は言っていた。そして、その学校がある場所は……。

バンコク。

〝愛〟されているという思いが心に満ち溢れ、ティアンは剛健な首筋に顔を埋め、再び湧き上がった嬉し涙を流れるままに任せた。緑がかったカーキ色の襟がびしょ濡れになる。この人の体から漂う太陽の匂いが好きだった。近くに寄ると、それは必ず温かい安心感を与えてくれた。

「これから何が起ころうと、僕を離さないでくれよ」

プーパーは、かがんで滑らかなこめかみに唇をつける。……誰にも渡さない。彼は細い体を再びしっかりと抱き寄せ、その願いへの答えとする。

夜空の星がこうして下界の地へ降臨してくれたのだ。

どうしてこの手を離すことができるだろう。

15　運命

ティアンがボランティア教師の役目に復帰して何日か経った。それはまさしくカマーのビアンレーのおかげだった。ビアンレーによると、セーントーン財団に電話した時、会長のウィナイ教師はまるで驚いた様子がなかったという。さらに、証明書類も後で送付すると言ってくれた。

二年以上を経て、生徒たちはぐんと大きくなっていた。前にいた子どもたちは、タイ語のコミュニケーションが上手になっていた。今回から新しく来る子もたくさんいた。

ティアンは、寝そべって頭を抱えている。またしても授業の準備なんかして来ていない。そこで、今度はまず自分の得意な絵と工作を教えて時間を稼ぐことにした。その間に棚にしまってある教材から、前のボランティア教師が何をすでに教えたのかを調査する。

プーパー隊長……いや、少佐と呼ばねばなるまい……は、今、新しく基地に常駐することになった大尉への引き継ぎで忙しい。それで二人はあまり顔を合わせることもできないのだが、ティアンは特に寂しくも思わないし、拗ねたりもしない。あの日、パンダーオの崖で互いの思いをぶつけ合って以来、妙に照れくさくて合わせる顔がないのだ。

この日は午後になってから、ビアンレーにたらいを借り、照りつける日差しの中、滝壺へ洗濯に行った。彼は木陰の涼しい場所を見つけ、ジャスミンの香りのする竹炭石鹸を高価な洋服へ惜しげもなく塗りたくっていく。濡れた衣服を半時間も揉んでいると、あらゆる毛穴から熱い汗が噴き出し、我慢ならなくなってくる。

「くそ暑いったらねえ！」

ティアンは立ち上がり、シャツとジーンズを脱ぎ捨て、ボクサーパンツ一枚になる。森の精霊やら神々なんかに恥ずかしがることはない。ちょうどいい具合に筋肉の付いた身体をさらし、崖から落ちる滝の下の広い窪みへあられもない姿で飛び込む。モデル並みの美しい肢体が清涼な流れの中を浮いては沈み、沈んでは泳ぐ。その時、彼の目は、大きな岩のところで腕組みをして立っている人にぶつかった。

若き軍人は、不満げに眉根を寄せ、警告を発してくる。

「そんな風に裸同然で泳いで、村の女にでも目をつけられたらどうする」

が、ティアンは怯まない。清々しい顔で答える。

「そしたら結婚しちまうよ。ここに住むにはちょうどいい」

彼は、顔を曇らせるプーパー少佐の傍へ泳ぎ寄り、甘い微笑みを投げる。

「……冗談だって。村人たちはみんな農園に行ってるよ。だから今、洗濯してるんじゃないか」

わざわざ太陽がこんな真上にある時間帯を選んでいるのは、集落の女性たちは暑くなる前の暁に水浴びしたり洗濯したりしに来るからだ。

ティアンは手を少佐殿の方へ伸ばし、甘えた声を出す。

「引っ張ってくれよ、なあ」

プーパーは鋭い視線をちょっと投げ、言われた通りにする。膝を付き、手を下へ伸ばす。その時、細い手がいきなり頑丈な手首を掴んできて全力で引っ張るものだから、体勢を整える暇もなくざばりと水中に落ちてしまう。

鬼軍人は、素早く水上に上がって牙を剥く。はめた相手はそう遠くない場所にいて、大声で笑っている。

「何を馬鹿なことするんだ！」

「あなたがしかつめらしい顔ばかりしてるから、思い詰めたらいけないと思ったんだよ」

口ではまるで良いことをしてやったかのようだが、そのいかにもいたずら好きな微笑み方はなんとも小憎らしい。

「そうか、楽しいか。こうしてやる！」

プーパーは飛び込むとじたばた逃げ回る腰を捕らえ、前向きに顔が合う形に回す。

緑がかったカーキ色のTシャツにティアンの素肌が密着した時、プーパーの身体の一部が反応を起こした。ティアンは思わず暴れるのをやめてしまう。二人の顔は呼吸を隔てるだけの距離で、ぴたりと合って静止した目と目が何百何千の言葉を伝え合う。

　プーパーがそっと顔を寄り添わせると、ティアンは恥じらうように滑らかな顔を逸らした。厚い唇は狙いを外して、透明な頬に吸い付く。すべすべとした肌からは淡い石鹸の香りがして、プーパーは高い鼻を滑らせ、柔らかな耳の裏までなぞるように嗅いでいく。

　ティアンはぎゅっと目を瞑《つむ》る。どきどきしてなぜか全身の毛穴中の毛が逆立つような感じだ。オーケー、関係というのは前進するものだよな。前みたいにおでこやら手の甲へのキスだけというわけにはいくまい。男同士だ、何を求めているのかは、よく分かる……。

　が、なんだよ、めちゃくちゃに照れくさいじゃねえか！

　ティアンは相手の顔を押し退けて、大騒ぎする。

「あなたの方が恥じらいがないじゃないか、放せってば」

　プーパーは白い頬が赤く染まるのを見て機嫌のいい笑みを浮かべるが、腕を緩めようとはしない。

「おや、もう離さないでくれと言ったのは、誰だ？」

　ティアンは、口をぽかんと開ける。あの日の言葉がこんな風に自分に返ってくるとは思わなかった。……気に入らない。淡いブラウンの瞳が細くなる。

「……じゃあ、僕を体に縛りつけて戦いにも行くのかい」

「嫌だ」

若き軍人は即、断る。そして次にこう返してくるのだから、半裸の美青年は自分に爆弾を仕掛けたのに等しいということになる。

「ベッドに縛りつけておく方がいい」

「隊長！」

ティアンは大声で叫び、手も脚も使って大男を蹴りまくって抱擁から逃れると、急いで岸に上がった。

プーパーは喉の辺りで軽く笑う。もう彼の役職は中隊長ではないが、ティアンがそんな風に呼ぶのは好きだった。どんなに長い時が経っても、自分は、永遠にたった一人のその人だけの〝隊長〟なのだ。

その後、二人は、服を借りにビアンレーの家に寄った。ずぶ濡れの少佐と膨れっ面のボランティア教師を見て、ビアンレーはびっくりした声を上げる。彼はイモの皮剥きをしていた手を止め、すぐに上がって乾いた服に着替えるよう勧めた。ついでに、しまっておいた息子の手織り服を何着も探してきてティアンに貸す。唐突に山に来てしまって、何も準備していないというのをよく知っているからだ。

ビアンレーに感謝の合掌をし、二人は一緒に教師宿舎に帰る。古い竹造りの小屋は何日か前に工兵の手で完全に修理され、住みやすくなっている。二人の青年がふざけたり言い合ったりする声が加わると、小屋も生き返ったかのようだ。

高床下から空芯菜炒めと卵焼きの良い匂いが漂う。二人は夕食作りに没頭している。ティアンは〝かんぬき棒〟を持ち、熱い白米の鍋を床机《しょうぎ》の上に置く。簡単なおかずも揃っている。すぐに、アカ族の衣装を着たプーパーも茹で卵の和え物を入れた皿を持って入ってくる。

プーパーは当直がなければほとんど毎日、夕食に来て、遅くまでお喋りをして、帰って行った。が、明日は休日だ。もちろん、プーパーが機会を逃すはずもなく、ここに自分も泊まるという。

プーパーは愛する人のご飯の皿に手料理の茹で卵和えを載せる。

「……食べてみろ。辛くはしていない」

今では熱々のご飯があれば何と一緒に食べても美味い。ティアンはご飯を口に入れ、機嫌よく咀嚼《そしゃく》する。それから、自分の作った空芯菜炒めもよそってやった。ところが、それをもらった方は、嬉しそうにしないばかりでなく、苦虫を噛み潰すより苦い顔をする。

「どうしてそんな顔するんだ。非常に失礼じゃないか！」

「私は君がナムプラーを瓶半分入れるのを見た」

「あれは、入れた、と言うんじゃない。こぼした、と言うんだ」

ティアンは空芯菜炒めをプーパーの固く結ばれた唇に無理矢理持っていく。

「……僕の手料理なのに。本当に食べないの」

結局、剛健な軍人もせがむ子には負け、渋々口を開けて空芯菜のナムプラー漬けを食べる。

しょっぱくて涙が出そうだが、文句一つ言わずに喉へ送り込む。

「甘いか？」

悪ガキお坊ちゃんが大きく微笑む。仕返しができてご満悦だ。

「君が作ったのだ。何であろうと全てスイートだ」

無表情軍人の口からそれを聞いて、ティアンは吐きそうになる。

「……もういいよ、隊長。負けを認める。これくらいで勘弁してくれ」

「まあ、今夜分かることだ。本当に〝認める〟かどうかはな」

鋭く瞳が光るのを見てティアンは慌てて下を向き、ご飯に集中して会話を打ち切る。寒気が背筋に達する。悪い予感……〝今夜〟の意味は〝助からない〟だ、ぜったい。


ティアンはハリケーンランタンの灯を弱めた。小屋の中が薄暗がりに変わる。彼は薄い蚊帳《かや》の中、扉に背を向けて横たわっている。時計を見て、ほっとする思いで息を吐き出した。泊まると言っていた人は宵の口からビアンレーのところへ用事に行き、もう十一時になるというのに戻ってこない。

暑季ではあるが、山の夜更けの寒さは洒落にならない。薄い掛け布団を引き上げ、すっぽりくるまる。今夜は助かったと思うと、すとんと眠りに落ちてしまう。

深夜近く。表の梯子段を上る重々しい足音がするが、深い眠りの中の人は少しも気づかない。

大きな男は顔を近づけて耳元に囁《ささや》く。

「……起きないと、寝込みを襲われても知らんぞ」

それで美しい目はたちまちぱちんと開いた。

「うわ！」

ティアンはびっくりして叫んだ。その拍子に寝返って、体を少佐殿の方へ向けてしまう。大きな腕がさっと伸びて細い腰をきつく抱き寄せる。

「お、遅かったんだな」

「早く帰ったら早く始まるだけだ。その方が良かったか？」

プーパーが腕の中の人をからかう。

ティアンは、粘つく唾液をやっとのことで喉へ押し込む。

「どう……しても今夜じゃないとだめなのかな」

彫りの深い顔が寄り添ってきて、薄い唇にそっと慰めるような口づけをする。

「やってみて、その気にならなければやめるから」

それって地球で一番信用ならない甘言じゃないか！　ティアンは息を深く吸い込む。どうするか……ひとまずできるだけ好きにさせておこう。きつく目を閉じ、人生最初で最後の男からのキスを受ける。唇が合わさり、体が硬直する。が、しばらくすると舌の先が絡まり、激しい渇望へと発展する。

粗いざらざらした手のひらが、ゆっくりと薄いTシャツの下へ差し込まれる。それはきめの細かい滑らかな肌をなぞり、胸の柔らかな突起へ至る。敏感な部分をざらつく指先でいじられ、ティアンは快感にも似た痛みに身を縮め、無意識に避けてしまう。プーパーは熱い口づけをひと度ほどき、愛する人のシャツを脱がせると、細い手首を両方とも頭より上の辺りに押さえつける。

すべすべと白い胸板が呼吸のリズムに合わせて揺れ動くのに誘われ、プーパーはその肌へ顔を埋めて、薄れかけた手術痕へ静かに唇をつけ、さっきの刺激で色づいた蕾《つぼみ》を温かい舌の先で転がした。

ティアンは初めての感覚に動揺し、体を捻る。が、容赦なく胸の突起を咥《くわ》えられ、噛まれ、吸われてしまう。薄い唇が僅かに開き、ささめくような叫び声が漏れる。

「隊……隊長。痛い」

ティアンは厚い胸を押し返して逆らった。

プーパーはおとなしく離れたが、退がったのは自分の服を脱ぐためだった。見たくなくても見えてしまう。ティアンは目を細めつつも上に跨がっている人に魅了される。……日焼けした浅黒い肌に逞しい筋肉が走っているのが、淡い光の下でもはっきり見て取れる。強靭な胸板にしっかりとした腹筋が続き、それは第一級の戦士の彫刻のようで、男なら誰しも羨《うらや》ましがる姿だった。

ティアンはしなやかな手を上へ伸ばし、裸の胸の上にある古傷や新しい傷の痕を優しくなぞる。

「痛くないかい」と、ティアンは訊く。

それらは、国を守るために戦った紛れもない証拠なのだ。

プーパーは微笑む。が、今のこの顔に浮かんだ微笑みは限りなく危険だ。彼はほっそりとした手のひらを捕らえ、ゆっくりと下へ滑らせて自分の中心へ触れさせる。

「……こっちの方が痛い」

完全な膨張をした丸太に触れた指先が熱を感じ、ティアンの白い肌は羞恥の色に染まる。手を引き戻そうとするが、無理矢理に織物のパンツの下深くへと引きずり込まれてしまう。生身の肌同士が触れ合った。

ティアンは顔を背け、息まで止めて避けようとする。……この今触っている鬼蛇が、最終的にどの穴に潜ろうとしているのか知らないほど世界に疎いわけじゃない。が、いくらなんでも心の準備なんかできやしない！

プーパーは相手の狼狽《ろうばい》ぶりが可笑《おか》しくて、軽く笑う。可哀想になり、意地悪するのをやめる。ほっそりとした手を離してやると、それはすぐに引っ込められた。彼は愛する人へ再び顔を寄せ、そのいい香りのする頬を思うままに愛しんだ。大きな手のひらでなだめると、細い体は溶けた蝋燭《ろうそく》みたいに脱力する。

だが、彼はティアンが刺激の方に没頭していた機に乗じて、ボクサーパンツを白く細い脚から引き抜いていた。厚い唇が汗に湿った首筋をなぞり、囁く。

「ティアン、体をずらして……」

ティアンは最初、意味が分からなかった。が、後ろ側を触れられてたちどころに硬直する。

プーパーは息を吐き出す。心では、溢れ返る欲望を制御しようとするのだが、体はそれに反して華奢な脚を無理に大きく開かせてしまう。異物に侵入されたティアンは抵抗するが、身体をねじって暴れることで、欲情の火をさらに煽《あお》ることになる。

太い指先が窮屈な場所に差し込まれたので、端整な美しい顔はやむことのない苦痛にねじ曲がる。が、粗くごつごつした指が奥まで侵入し、角度を変え、未知の一箇所に突き当たった時、ティアンは闇色の官能に体の全てを震わせた。息を荒くし、炎を上げる情欲のままに体を反り返らせる。

ティアンは腕を頑丈な首筋に絡め、かすれた声で呟く。

「もう……だめ……早く」

プーパーはたちまちその言葉に応えるが、それでも遅いくらいだ。彼は自分の下着を少しだけずらし、完全な男のそれを現すと、細い両脚をさらに開いて、柔らかな襞《ひだ》の中へ武器の先端を合わせる。

体が二つに引き裂かれたかのようだった。ティアンは顔をのけぞらせる。心のままに大声を上げたかったが、漏れ出てきたのは嗚咽だけだった。傷つくほどに唇を噛む。愛する人の大きさを受け入れることは苦痛で、だが、その痛みには少なからぬ悦楽が混じっている。

上に覆いかぶさる逞しい体が前後に動き、細い指先が大きな背に爪痕を付ける。熱いものが狭い中を激しく往復し、ティアンは頭を後ろへのけぞらせてその快楽に身を任せた。甘く美しい一対の目が天井に注がれる。そこには激しい愛を交わす二人の動きが揺らめく影となって映っている。

ティアンは呼気を震わせる。こんな風に、誰かの下で喘ぐ自分の声を聞く日が来るとは思ってもいなかった。どれだけ名誉に傷がついたとしても、この二人の愛には代えがたい。厚い腹筋の力でかき回された器官から透明な滴がにじみ出て、絶頂に達した時、腹部一帯に痺れが広がった。

プーパーは体を強く押しつけながら、濃厚な液体を放出する。たくさんのそれは摩擦によって真っ赤に染まった狭い口から流れ落ちる。彼は体を倒し、汗に濡れた滑らかな額に唇をつけた。優しく慰めるように。そしてしわがれた声で訊く。

「大丈夫だったな」

欲望の波が去った後、ティアンは顔をしかめている。大きなものにかき混ぜられたその部分は痛みを引きずっている。彼は拳を厚い肩に当てる。ちょっと怒って。

「大丈夫なわけがあるか。後ろを魚雷に突破されたことなんかあるわけないだろ！」

プーパーは責められたのが可笑しくて微笑む。

「……褒めてくれて光栄だ」

「褒めてない！」

ティアンは上に乗っている人を押し返そうとする。

「あなたのそれを出せ。苦しい」

「まだ力があり余っているようだな。もう一回戦といくか？」

「誰が！　もういい……放してくれよ」

ティアンは全力で暴れるが、その両手首は掴まれ、マットレスに押しつけられてしまう。その時、ティアンは自分の中にあるものが再び膨らむのを感じ、目を大きく見開いてしまう。そして唇を押し開かれ、軍人の濃厚なキスを浴びることになる。逆らって大声でわめいたので、集落を挙げて救護が来そうだったからだ。

蚊帳の中の戦闘は静かに続行する。その遥か上方では、柔らかな月影が闇の大地に向かって光を落としていた。二つの心と体が一つになった初めての夜は、互いの思い出の中にいつまでも刻まれることになる。

……夜明け前。苦難を強いられたティアンが古ぼけたマットレスの上に静かに横たわっている。寝返りを打ち、体じゅうの鋭い痛みに眉を寄せる。美しい瞳が少しずつ開く。その時初めて気づくが、昨夜はいつ意識を失ったのか覚えていない。体の周りは湿っていて、ふと目を上げると、大きな影が薄明りの中を動いていた。

「隊長」

ティアンはかすれた声で呼ぶ。

「少しはすっきりしたか」

プーパーは心配して訊く。さっき、彼は愛の名残りにまみれた体を拭いてやり、服を着せてやったところだ。大きな手が滑らかな熱い額に触れる。

「……熱っぽいな。今、粥を作ってやるから、その後でちょっと解熱剤を飲んだらいい」

ティアンは小さく頷く。プーパーの優しさが心にしみる。ティアンは力を奮い起こし、この温かな男の腕を自分の横へ引っ張りこんだ。そして手を回し、動けないように抱きしめておく。端整なその顔は少し青ざめているが、小さな低い声を耳にして幸せな笑みが満ちる。その声は、こうぼやいていた。……何だ、子どもみたいに、と。ティアンは言う。

「心が寒い。抱かせてくれよ」

プーパーは、二年以上昔の自分のふざけた口説き文句を思い出して可笑しくなった。

「……そんな風に甘えて、何が欲しいんだ？　言っておくけどな、軍人の給料は少ないぞ」

「そんなんじゃないって」

ティアンは鼻に皺《しわ》を寄せ、硬い筋肉に覆われた腕に顔を埋める。

「ただ、あなたとずっと一緒にいたいなと」

　プーパーは、柔らかな髪に包まれた形良い頭に手のひらを置き、優しく撫でていく。そして、昨日聞いたばかりの良いニュースを口にする。それは、彼の所属するメンラーイマハーラート基地から直接無線で伝えられたものだった。

「陸軍幹部学校の入試の日が決まった。来月の頭だ。月末、合格通知が来たら、バンコクに出る準備をする」

　ティアンは目を上に向け、黙って何か考えてから、口の端に笑みを見せる。

「……なら、僕はバンコクで修士に進むよ」

　ティアンは家に戻らなければならなくなるから、別々に住むことになるだろう。それでも、もう違う世界に遠く離れるわけではないのだ。

「私はカリキュラムを終えたら、チエンラーイに帰るぞ」

「そうしたら僕も一緒に帰るんだよ」

　ティアンは体を乗せてきて、尖った顎を広い胸につける。美しい一対の瞳が輝いているのが暗い中でも分かる。

「……試さなくてもいいよ。あなたの役職がもう国境の基地には過ぎたものになっていることは僕にも分かる。いつかはどこかの大隊へ移るんだ。そして、あなたがどこに転属したとしても、僕はこうやって付いてきて驚かせてやるんだよ。だから捨てていこうと思った日には、覚えとけ」

ティアンは脅しをかけてくるが、プーパーは笑い声を上げる。

「捨てたりしないよ。こんなおっかなくて凶暴で、留守番にぴったりなのを他にどこで探すんだ」

「おい。僕は犬じゃないぞ！」

ティアンは怒って大男の服の首元に噛みつき、揺さぶってみせる。が、体を返され、下になってしまう。

プーパーは顔を寄せ、澄んだ頬に軽いキスをした。そして、心にぴったりかなう相手への甘い言葉を囁く。

「君を愛している」

ティアンは寝そべったまま硬直し、照れて熱くなった顔を背ける。が、少ししてから、曲げた唇を開き、ずっとしまっていた言葉を伝える。

「僕……僕もあなたを愛してる」

その瞬間、ティアンの左胸の心臓が震える。まるで、こんな風に言っているみたいに。……私もそう思う。

二人を深く結びつける糸があるかのようにその目と目が合った時、二つの唇もぶつかり合って、あらゆる思いを込めた返事を交わし合う。

……これからはどんな障壁が立ち塞がっても僕らはもう離れない。夜空を漂う幾千幾万の星々に誓ったように。

出逢わせてくれた運命に、ありがとう。
トーファン……君の大切な思い出をありがとう。

完

どうも、こんにちは。Ｂａｃｔｅｒｉａ です。

日本のファンの皆さん、はじめまして、いかがお過ごしですか？

この小説『A Tale of Thousand Stars』は

私が5年前に書き始めた小説で、

運よくテレビ局の目に留まり、２０２1年にドラマが放送されました。

この小説はＢＬ的な要素だけでなく、

人間の成長や行動に現れる真の愛も重要なテーマとなっています。

皆さんにはぜひ小説を手に取っていただき、
またドラマもご覧になって、お楽しみいただければと思っています。
最新情報は自分のツイッター@ＮａｂｕＢａｃｔｅｒｉａにアップしますので、お気軽にメッセージをお寄せください。

Ｌｏｖｅ

Bacteria

著: Bacteria《バクテリア》

血液型/O型。星座/山羊座。趣味/読書、執筆、旅行。

〈コメント〉
日本のファンの皆さん、はじめまして。
小説を気に入っていただけると嬉しいです。
どうぞ健康にお気をつけて、元気にお過ごしください。

訳: イーブン美奈子《みなこ》

1976年生まれ、早稲田大学第一文学部卒。タイ王国在住。
担当作品は『今昔秀歌百撰』文字文化協會(選者)、
日経ギャラリーアジアエディション「アジア映画再発見」(タイ担当)他。

〈コメント〉
チエンラーイの山は本当に美しいです。
機会があれば是非いらしてください。

A Tale of Thousand Stars《アテイルオブサウザンドスターズ》 下

2021年6月10日　初版発行

著者／Bacteria《バクテリア》

訳者／イーブン美奈子《みなこ》

発行者／青柳昌行

発行／株式会社KADOKAWA
〒102-8177　東京都千代田区富士見2-13-3
電話 0570-002-301（ナビダイヤル）

装丁／東海創芸

企画協力／KADOKAWA AMARIN

編集企画／ボイスニュータイプ＆ビジュアルブック編集部

印刷所／図書印刷株式会社

製本所／図書印刷株式会社

●お問い合わせ
https://www.kadokawa.co.jp/（「お問い合わせ」へお進みください）
※内容によっては、お答えできない場合があります。
※サポートは日本国内のみとさせていただきます。
※Japanese text only

ISBN978-4-04-110955-7　C0097

生粋の都会っ子・今倉一成が、親の都合で
引っ越した先はなんとド田舎。
しかし、そこで明らかに浮いている美少年、
伊田宏伸と出会う！
今倉は新たな性癖に目覚めてしまう……のか!?
田舎の美少年
右野マコ
話題の
美少年過保護コメディー！
2021年7月9日
コミックス発売決定!!
大ボリューム
描きおろし
32p!!
ふたりの出会いの前日譚を含む、4本の描きおろし漫画を収録★
怒り!
魚類《ぎょるい》に何《なに》がわかる!!
執着!
髪《かみ》の分《わ》け目《め》がちょっと
苦悩!
この美《うつく》しさを俺《おれ》が独《ひと》り占めしていていいのだろうか…?
美少年に対するクソでか感情が
止まらない……！
単行本コミックス／A5判／発行：株式会社KADOKAWA